# GO, AUSTRIA GO!

## IMPRESSUM

Herausgeber:
Österreichische Sporthilfe
Marxergasse 25
1030 Wien
www.sporthilfe.at

Inhaltliche Konzeption und alle Texte:
Reinhold Fleischhacker (MOVE & HEALTH,
Manufaktur für populärwissenschaftliche Publikationen).
1210 Wien, E-Mail: textfabrik@aon.at

Grafische Konzeption und Layout:
Ingrid Polivka,
1050 Wien, E-Mail: ingrid.polivka@digitallaut.at

Produktion:
Digital Laut GmbH., Horst-Dieter Kaiser
1050 Wien, E-Mail: kaiser@digitallaut.at
www.digitallaut.at

DIGITAL LAUT
DIGITALDRUCK • POSTERDRUCK • REPRO

Druck:
Offset 5020
Druckerei und Verlags GmbH
Bayernstraße 465
5072 Siezenheim
Tel.: 0552/85 70 70-0

Offset 5020
Druckerei & Verlag Ges.m.b.H.

Fotos:
GEPA
www.gepa-pictures.com
Red Bull
adidas
MOVE & HEALTH
Archiv

Projekt- und Vertriebsleitung:
Josefa Umundum

Erste Auflage, April 2004
ISBN: 3-9501494-1-4



Wien, im April 2004

REINHOLD FLEISCHHACKER

# GO, AUSTRIA GO!

Wie Österreichs Weltmeister trainieren und was du als Hobbysportler von ihnen lernen kannst.

sport hilfe

Dr. Wolfgang Schüssel, Bundeskanzler, Präsident der Österreichischen Sporthilfe

Mag. Karl Schweitzer, Sportstaatssekretär

Dr. Leo Wallner, Generaldirektor der Casinos Austria, Präsident des ÖOC, Mitglied des IOC

# Ein Projekt für den Nachwuchs

Der Reinerlös dieses Buches kommt der Nachwuchsarbeit der Österreichischen Sporthilfe zugute. Die Idee dazu hatte Anton Schutti, Geschäftsführer der Österreichischen Sporthilfe. Die Sporthilfe ist für die Spitzensportförderung in Österreich zuständig. Weil gerade die Nachwuchsathleten einen großen Förderbedarf haben, wurden neben diesem Buch auch andere Projekte geboren. Zum Beispiel das „Sport-Mentoring" und der „Jugendsportpreis" – beide werden am Ende des Buches mit separaten Geschichten geschildert. Und ob ein Hobbysportler von Spitzensportlern was lernen kann, wird auf den nachfolgenden Seiten ebenfalls erläutert (man kann es vorwegnehmen: Man kann jede Menge lernen).

**Niederlagen.** Bundeskanzler Dr. Wolfgang Schüssel gefällt unter anderem, dass die Sportler auch von ihren Niederlagen berichten. „Niki Lauda, Stephanie Graf, Thomas Muster und Hermann Maier sind durch die Überwindung großer Rückschläge zu großen Persönlichkeiten gereift", merkt er an. Dass wir diese Geschichten hier aber nicht nochmals wiederholen, werden die Leser hoffentlich verstehen. Wir wollen ja aktuelle News bringen.

**Nebensache.** Staatssekretär Mag. Karl Schweitzer hat sich in seiner bisherigen Amtszeit besonders um die Nachwuchssituation in Österreich bemüht. Nicht alles gelingt im Moment, weil einige Strukturen einfach noch zu verkrustet sind. Sein Bemühen kann man nicht hoch genug einschätzen. „Sport ist schon lange nicht mehr die wichtigste Nebensache der Welt. Die Österreichische Sporthilfe lebt diesen Grundsatz einmal mehr, indem sie mit diesem Buch Tipps für Hobbysportler bietet und mit dem Reinerlös die Nachwuchsförderung ankurbelt. Eine großartige Aktion, die meine volle Unterstützung hat."

**DI Friedrich Stickler, Vorstand der Österreichischen Lotterien**

**Emil Mezgolits, Vorstand der Österreichischen Lotterien GmbH**

**Anton Schutti, Geschäftsführer der Österreichischen Sporthilfe**

**Förderung.** 1969 beschloss die damalige Bundesregierung, ein Gesetz für eine bundesweite Sportförderung zu schaffen. Weil erkannt wurde, dass ein Kontext besteht zwischen Sport und Gesundheit, Spitzensport und wirtschaftlichen Interessen. 1972 schließlich wurde die Österreichische Sporthilfe als Verein gegründet. Bund, Wirtschaftskammer, das Olympische Komitee und die Bundessportorganisation waren damals schon die Säulen des Fördermodells.

**Spitzensport.** In ihrer Kernfunktion ist die Österreichische Sporthilfe für die Förderung des Spitzensports zuständig. 3.600 Sportler wurden bisher gefördert, rund 70 olympische Medaillen konnten die Athletinnen und Athleten erringen. Nicht in die Sporthilfe integriert sind die Alpinschifahrer und die Fußballer. Mit diesem Buch, dem Sport-Mentoring und dem Jugendsportpreis geht die Sporthilfe also neue Wege – ohne die zentrale Aufgabe der Förderung der Spitzensportler aus den Augen zu verlieren. Toni Schutti: „Letzteres ist und bleibt unsere Kernaufgabe." Alle Infos über die Sporthilfe können von der Homepage der Sporthilfe abgerufen werden (www.sporthilfe.at).

**Neuer Weg.** Dass durch ein Buch, in dem Spitzensportler ihr Training schildern, der Kontext zum Breitensport hergestellt wird, davon sind auch Leo Wallner, Emil Mezgolits und Friedrich Stickler, die Vorstände der Österreichischen Lotterien, welche einen Großteil der Fördergelder für die Spitzensportler bereitstellen, begeistert: „Das ist ein völlig neuer Weg, wir danken der Sporthilfe und dem Autor für diese Innovation."

**Dank.** Kein Vorwort ohne Dank – dieser gilt vor allem den 21 Sportlerinnen und Sportlern, die ihre karge Freizeit zwischen Training und Bewerben ausführlichen Interviews geopfert haben. Wir hoffen, dass die Fangemeinde dadurch erheblichen Zuwachs erfährt. Weiters dürfen wir uns bei den Inserenten bedanken. Denn dadurch erhöht sich der Reinerlös – der ja wiederum dem Nachwuchs zugute kommt.

# inhalt

# Alle sitzen im gleichen Body

„Kann ein Hobbysportler denn von einem Profisportler überhaupt etwas lernen?“ – das war die Frage, als die Idee zu diesem Buch geboren wurde. Die Antwort war relativ leicht und wurde uns von Dr. Bernd Pansold später auch klipp und klar bestätigt: „Natürlich kann man von Profisportlern lernen. Deren Körper reagiert ganz so wie der eines Hobbysportlers. Aber eben auf einem höheren Niveau.“

**Wissenschaft.** Sehr oft wird auch die Frage gestellt, ob denn ein Hobbysportler einen Laktattest nötig hat. Auch diese Antwort fällt leicht und eindeutig aus. Mag. Manuel Golda, Sportwissenschaftler und Leistungsdiagnostiker in Graz, beschäftigt sich sehr viel mit Hobbysportlern, ist auch für viele Firmen als „Personal Coach“ tätig. Er geht sogar noch einen Schritt weiter: „Dem Hobbysportler bringt ein Leistungstest in der Tat mehr als einem Profisportler. Denn ein Profi hat seinen Körper schon ziemlich ausgereizt. Wenn ein Hobbysportler punktgenau trainiert, hat er viel mehr Potenzial für eine Leistungssteigerung.“

**Intensität.** Wohl auch, weil vor allem die ehrgeizigen Hobbysportler durch die Bank zu intensiv trainieren, anstatt auf die Grundlagenausdauer genügend Wert zu legen. Sie klauben sich zwar aus allen möglichen (manchmal auch unmöglichen) Magazinen Tipps und Tricks von selbst ernannten Gurus zusammen, verzichten aber oft aus Kostengründen auf eine sportwissenschaftliche Betreuung.

**Tipps.** Auf konkrete Tipps und Tricks verzichten wir in diesem Buch zum Großteil. Denn: „So musst du es machen“ ist meist nicht der beste Weg. Zu individuell ist der Mensch, besonders der sportlich interessierte. Ursprünglich dachten wir ja, dass uns die Profis alle möglichen Ratschläge für Hobbysportler geben würden. Es stellte sich aber bald heraus, dass dies logischerweise nicht funktionieren kann. Ein Profisportler macht sich während

### VOM POTENZIAL

Moshe Feldenkrais, gebürtiger Russe, war ein sehr gescheiter Mensch: Als Physiker gelang ihm 1938 die erste Kernspaltung in Frankreich. Er war aber auch ein sehr sportlicher Mensch – und verletzte sich bei einem Fußballspiel das Knie. Von da an beschäftigte er sich intensiv mit Bewegung und dem Körper. In seinen Schriften („Der aufrechte Gang“, „Das starke Selbst“) schreibt er immer wieder, dass die meisten Menschen nur 20 Prozent ihres Potenzials nützen. Das sollte zu denken geben …

## Mit sich beschäftigt

seiner aktiven Karriere wenig Gedanken, wie ein Laie sein Training anlegen sollte. Er muss all seine Zeit und all seine Gedanken seiner Sportart und seiner eigenen Karriere widmen. Sonst wäre er nicht konkurrenzfähig. Anders bei Dagmar Rabensteiner und Alois Stadlober – die beiden sind mittlerweile selbst Hobbysportler, Dagmar Rabensteiner betreut in ihrer Wiener Ordination unter anderem Übergewichtige und Diabetiker. Sie kennt sich aus mit uns Unwissenden.

**Experten.** Daher haben wir das Training der meisten Sportler Experten geschildert, welche dann Ratschläge für den Leser gegeben haben (sie sind mit Kontaktadresse und Internetadresse angeführt und gerne bereit, weitere Fragen zu beanworten).

**Offene Fragen.** Es kann sein – und ist sogar ziemlich wahrscheinlich –, dass noch Fragen offen bleiben. Denn nicht alles kann per geschriebenes Wort erklärt werden. Wie der Carvingschwung wirklich geht oder der geschnittene Schwung am Snowboard beispielsweise. Selbst Felix Stadler, der diesen Schwung natürlich perfekt beherrscht, tat sich schwer, seine eigene Technik irgendwie in Worte zu fassen. Einen ganzen langen Schi- und Boardtag lang diskutierten wir auf der Planai. Und beschlossen, einfach zu erklären, dass man experimentieren muss. Denn er selber war die ganze Saison lang verunsichert, weil sein Trainer buchstäblich „einen neuen Schwung" mitbrachte.

**Scherz.** Manchmal ist sogar ein Scherz das beste Mittel, zu erklären, dass man manches eben nicht erklären kann. Mario Basler, der geniale Freistoßschütze, hat auf die bohrende Frage des ZDF-Sportstudiomoderators, wie er denn das mache, dass der Ball eine derart extreme Kurve um die Mauer fliegt, trocken geantwortet: „Das Ventil muss ins Kreuzeck schauen – und das Logo des Sponsors in die Kamera."

### SUCHTVERDACHT

Bisweilen kommt auch die Frage der Sucht in die Sportdiskussion. „Die laufen alle vor irgendwas davon oder irgendwas nach", hört man, wenn Zehntausende einen City-Marathon in Angriff nehmen. Mit Sucht im medizinischen Sinne hat das nichts zu tun, aber ganz Unrecht haben die Kritiker auch wieder nicht: Nicht selten ist die sportliche Betätigung auch ein Ersatzschauplatz im Kampf um die Selbstbestätigung. Wohl auch bei dem einen oder anderen Profi. Aber verallgemeinern sollte man nichts. Es gibt sowohl Profi- als auch Hobbysportler, die aus reiner Freude an der Bewegung das tun, was sie gerade tun: Sport betreiben.

# Der Körper –
## ein sehr komplexes Ding

**Wer Sport betreibt, sollte seinen Körper kennen. Denn er reagiert auf jede Bewegungseinheit. Ob positiv oder negativ, das hast du selbst in der Hand.**

**Kondition:** Was ist darunter zu verstehen? Wie entstand das Wort „fit“? Warum ist Ausdauer so wichtig? Und wie ist das mit den Laktatwerten? Alle Fragen auf einen Blick.

**Seite 12**

**Der Wandel:** Was man aus den Erfahrungen lernen kann und wie sich die Trainingsmethoden im Laufe der Zeit gewandelt haben. Und was es mit dem Briefträger-Syndrom auf sich hat.

**Seite 16**

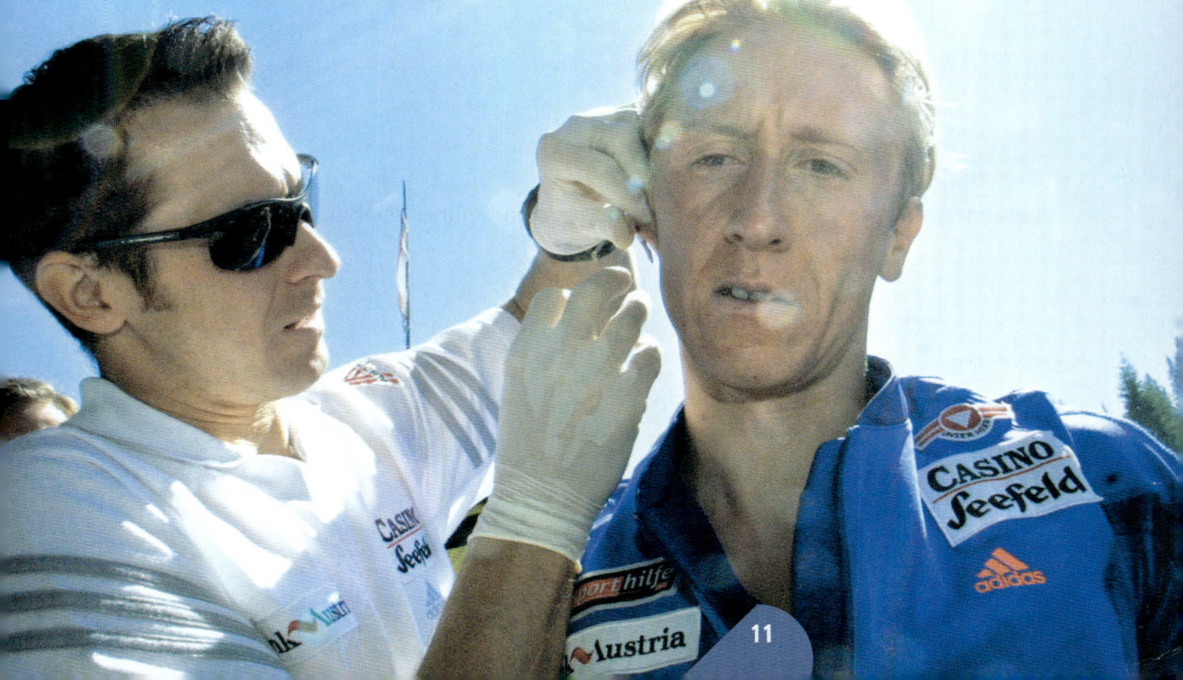

# Was, bitte, ist Kondition?

„Kondition im engeren Sinn ist die körperliche Leistungsfähigkeit eines Menschen, die je nach Struktur der Sportart durch Ausdauer, Kraft oder Schnelligkeit gekennzeichnet ist", sagt Dr. Bernd Pansold, derzeit als Leistungsdiagnostiker und Berater in Trainingsfragen im Red Bull Trainingszentrum Thalgau bei Salzburg tätig. Er führt weiter aus: „In vielen Fällen stellt die Kondition eine Mischung dieser drei motorischen Grundfähigkeiten dar." Aber das ist noch nicht alles: „Es ist darauf hinzuweisen, dass die Leistungsfähigkeit neben der Physis auch die Psyche und das technisch-koordinative Vermögen beinhaltet."

**Komplex.** So komplex ist also die Sachlage. Aber das ist immer noch nicht alles. Wer sich sportlich betätigt, löst eine Reihe von biochemischen Vorgängen im Körper aus. Die Muskeln verbrennen Energie in Form von Fetten und Kohlenhydraten, dazu wird Sauerstoff benötigt. Dieser Sauerstoff wird über das Blut angeliefert. Bei der Verbrennung entstehen auch Abfallstoffe, über 100 an der Zahl. Diese Abfallstoffe werden ebenfalls über den Blutkreislauf abtransportiert und über die Lunge ausgeatmet (einer dieser Abfallstoffe wird „Laktat" genannt, es ist das Salz der Milchsäure, im Blut leicht messbar und wird daher bei den Leistungstests als Parameter für die Fitness herangezogen). Und weil für die Anlieferung von Sauerstoff mehr Blut gebraucht wird, erhöht sich der Pulsschlag.

**Reiz.** Egal, ob purer Anfänger oder langjährig tätiger Profisportler: Jede körperliche Betätigung stellt einen „Reiz" für den Organismus dar, auf welchen der Körper reagiert: Zuerst ist er mal erschöpft. Dann erholt er sich und reagiert mit erhöhter Leistungsbereitschaft. Erfolgt der nächste Trainingsreiz zu früh, also bevor der Körper sich erholt hat, machen wir ihn kaputt. Ausreichend Erholungszeiten sind also das Um und Auf für eine dauerhafte Fitness (Kondition). Wiederum beim Profi gleichermaßen

**F.I.T.**

„Frequency, Intensity, Time". So beschrieb vor Jahrzehnten ein amerikanischer Sportwissenschaftler die drei Eckpunkte, auf die es bei einem leistungsfähigen Organismus ankommt. Das könnte man jetzt auf zwei Arten ins „Landläufige" übersetzen: „Wie oft, wie intensiv und wie lange" trainiere ich. Oder, noch einfacher: „Immer zur richtigen Zeit das Richtige tun." Das ist freilich nicht einfach. Da muss man seinen Körper schon ganz gut kennen. Schließlich ist alles (Bio-)Chemie.

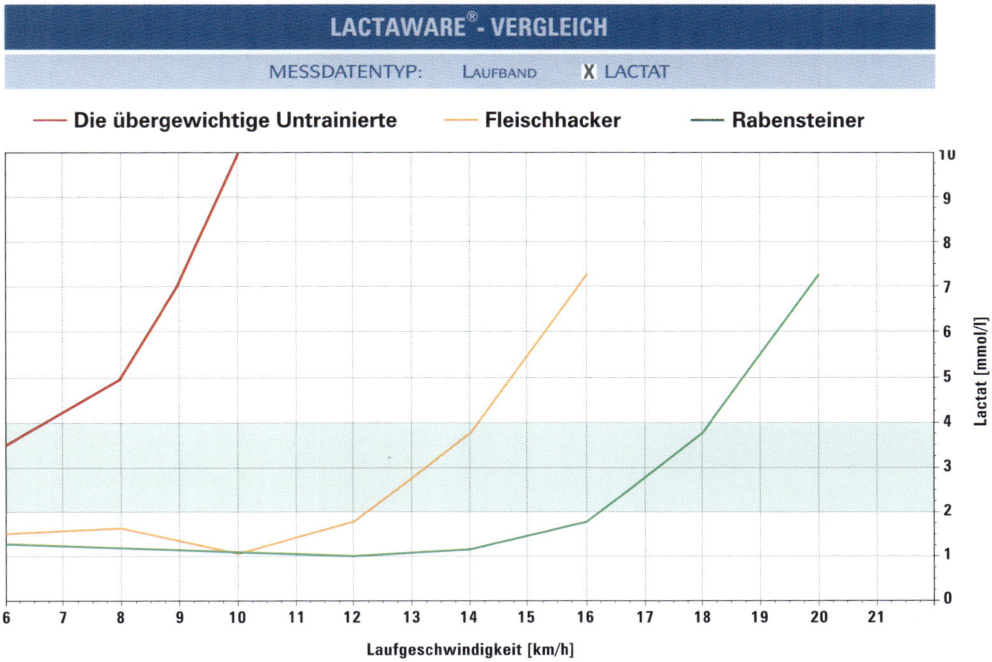


wie bei Otto Normalsportler, halt auf einem anderen Niveau.

**Reihenfolge.** Aber es kommt vor allem auf die Reihenfolge der Intensität an. Nicht nur Dr. Bernd Pansold predigt immer wieder: „Krafttraining hat keinen Sinn, wenn nicht vorher die Grundkondition aufgebaut wird." Diese Grundkondition kann man sich nur mit Ausdauertraining aneignen. Pansold, bekannt für griffige Formulierungen: „Viele Menschen glauben immer noch, dass man vom Schifahren Kondition kriegt." Es ist umgekehrt: „Schifahren verbraucht Kondition." Wie jeder Wettkampf auch. Auf obiger Abbildung ist der Bereich zwischen 2 und 4 mmol Laktat türkis eingefärbt. Jener Bereich, in welchem Kraftausdauer- und Schnelligkeitstraining Sinn machen. Die untrainierte, übergewichtige Person sollte also nicht einmal schnell gehen, sondern sich besser auf einen Ergometer setzen und mit extrem niedriger Wattzahl strampeln. Dann kann sie immer noch ein recht guter Hobbysportler werden.

**Das Bild oben zeigt drei Laktatkurven: links eine untrainierte, übergewichtige Person. In der Mitte ein durchschnittlicher Hobbysportler (der Autor), rechts Dr. Dagmar Rabensteiner. Signifikant: Bei allen dreien steigt der Laktatspiegel irgendwann abrupt an. Beim Untrainierten schon nach wenigen Schritten (schon beim schnellen Gehen gerät dieser in den „Krafttrainingsbereich"). Beim Trainierten erst bei 18 km/h Lauftempo.**

## Die Kurve kratzen

Was sagen die Laktatkurven auf der vorderen Seite aus? Ganz einfach. Die übergewichtige Person hat gar keine Kondition, der Autor eine gute Hobbysportlerkondition, Dagmar Rabensteiner war zum Zeitpunkt des Tests Leistungssportlerin. Was ist zu tun? Die Kurve muss nach rechts verschoben werden. Das geht nur, wenn man hauptsächlich im Ausdauerbereich trainiert. Also im Bereich um die 2 mmol Laktat. Wiederum: egal, ob Profi oder blutiger Amateur. Die Kandidatin mit der grünen Linie darf also vorerst nicht mal schnell gehen, sie muss sich auf den Ergometer setzen und ganz vorsichtig mit Bewegung beginnen. Der Kandidat mit der roten Linie sollte möglichst viele Läufe im Bereich von 10 bis 12 km/h machen und einen Lauf pro Woche möglichst lang gestalten, also rund zwei Stunden und mehr veranschlagen. Die Kandidatin mit der blauen Linie, Marathonrekordlerin Dagmar Rabensteiner, hingegen kann ihren Long Jog ohne weiteres mit 16 km/h angehen.

**Niveau.** Ein erreichtes Niveau hält der Körper übrigens eine Zeit lang aufrecht. Dagmar Rabensteiner rennt jetzt als Hobbyläuferin immer noch 120 km die Woche, ihre Schwellenwerte haben sich daher so gut wie überhaupt nicht verschlechtert. Und als sie für den Berlin-Marathon 2003 etwas Tempotraining machte, kamen ihre Ausdauerwerte gehörig durcheinander. Womit wir wieder bei der Komplexität des menschlichen Organismus wären. Er ist mit einem Spinnennetz vergleichbar: Wird an einem Faden gezogen, bewegt sich das ganze Netz.

**Auf- und Abbau.** Es gibt also Sportarten, die bauen Kondition auf, und solche, die bauen Kondition ab. Schifahren beispielsweise verbraucht Kondition, Laufen und Radeln bauen Kondition auf. Aber auch nur, wenn in der richtigen Intensität geradelt und gelaufen wird. Einfache Regel: Im niedrigen Intensitätsbereich wird aufgebaut, im hohen

### DER LAKTATTEST

Was geschieht beim Laktattest? Vom Ablauf her Folgendes: Der Probant läuft oder radelt drei Minuten in einem bestimmten Tempo oder mit einer bestimmten Wattanzahl. Dann gibt es eine halbe Minute Pause, da wird aus dem Ohr etwas Blut entnommen. Dann wird das Lauftempo oder die Wattanzahl erhöht. Wieder wird drei Minuten lang gestrampelt oder gelaufen. Und so weiter, bis der Probant nicht mehr kann. Die ganze Zeit über speichert ein Computerprogramm die Pulsfrequenz. Die abgenommenen Blutproben werden auf das Laktat – das Salz der Milchsäure – untersucht. Und dann mit den ebenfalls erfassten Pulswerten in Korrelation gebracht.

Intensitätsbereich abgebaut. Darum sagen Sportler, wenn sie mehrere Wettbewerbe hintereinander bestreiten mussten: „Das ist jetzt an die Substanz gegangen."

**Regeneration.** Hermann Maier verrät es ab und zu. Als vor Weihnachten eine Serie von Speed-Bewerben absolviert war und er – für viele unerwartet – völlig k.o. im Zielraum lag, meinte er auf die Frage, was er denn jetzt machen werde: „Ein paar regenerative Einheiten." Da strampelt er dann mehrere Stunden, weit unter der 2-mmol-Grenze, am Ergometer. „Aktive Erholung" nennen das die Fachleute.

**Lektionen.** Von vielen weiteren Profis kann der Hobbysportler lernen: Bei Claudia Heill, Judoka mit großen Zukunftsperspektiven, dauert ein Kampf oft nicht mal eine Minute. Aber sie hat pro Tag mehrere Kämpfe zu bewältigen. „Die Ausdauer hilft mir, mich dazwischen besser zu erholen." Bei den Beachvolleyballern Nik Berger und Clemens Doppler ist's nicht anders: Auch ihr Sport ist im wahrsten Sinne des Wortes „konditionsraubend". Auch sie trainieren fleißig Ausdauer. Die Segler Roman Hagara und Hans Peter Steinacher halten es gleich: Dass ein ganzer Tag auf dem superschnellen Tornadoboot Kraft raubt, ist verständlich. Sie frischen ihre Ausdauer immer wieder auf. Die Beispiele wären endlos lang fortzusetzen.

**Spezifisch.** Natürlich gibt es sportspezifische Unterschiede: Bei Marathonläufern oder Langläufern liegt es auf der Hand, dass die Ausdauer noch viel mehr im Vordergrund steht: Gerrit Glomser etwa trainiert so gut wie ausschließlich Ausdauer, Franz Stocher ebenfalls. Oder Christian Hoffmann. Oder Felix Gottwald. Aber dann gibt es wieder Sportarten, die sind völlig anders. Tischtennis etwa: Werner Schlager trainiert alles – aber nichts extrem. Und dass er Weltmeister wurde, da spielten eben auch Technik und Psyche eine wichtige Rolle ...

## DER KÖRPER

Die Reaktionen des Körpers auf das Training:
1. Der Körper braucht Trainingsreize. 2. Der Körper braucht Pausen, um die gesetzten Trainingsreize zu verarbeiten. 3. Der Körper reagiert auf die Trainingsreize verspätet, also träge. 4. Der Körper reagiert nach sechs bis acht Wochen überhaupt nicht mehr auf bestimmte Trainingsreize. 5. Ausdauer ist die Grundlage jeder sportlichen Betätigung. 6. Ausdauer zerstört die Spritzigkeit.
7. Spritzigkeit zerstört die Ausdauer. 8. Es kommt immer auf dein persönliches Ziel an. 9. Freude ist die halbe Miete. 10. Man trainiert eigentlich (fast) immer falsch. Die gute Nachricht: Es geht dabei allen gleich!

# Zeit verändert Methoden

Wir leben in einer medialen Epoche. Jeder sportinteressierte Mensch liest und schaut fern und interessiert sich, was die Sportprofis so erzählen. Die Journalisten und Fernsehmoderatoren wiederum müssen zu diesem Behufe tagtäglich „spannende“ und „griffige“ Geschichten liefern. Da kommen dann Erzählungen wie jene, dass Heiner Bergmüller einst Armin Assinger & Co so lange einen Hügel hinauf jagte, bis sie nicht nur zusammenbrachen, sondern tatsächlich erbrachen, gut an. Das Gute daran: Diese Geschichte stimmt sogar.

**Saulus & Paulus.** Heute ist Heiner Bergmüller Leiter des Olympiastützpunktes Obertauern und predigt vor allem „Ausdauer“. Er hat von seinem Lehrer Bernd Pansold eben einiges gelernt. „Er war ein sehr gelehriger Schüler“, streut ihm der Meister auch Rosen.

**Wissenstransfer.** Sport hat sehr viel mit Medizin zu tun (zur Erinnerung: Es gibt keinen Unterschied zwischen Profi- und Hobbysportler). Nun verdoppelt sich das medizinische Wissen alle zwei Jahre. Dieses sich ständig vermehrende Wissen muss ja irgendwie transportiert werden. Ob da alle Mediziner und Sportwissenschaftler immer auf dem neuesten Stand sind?

**Briefträger-Syndrom.** Wer jemals mit Universitäten und anderen Schulungsinstituten zu tun hatte, wird wissen, dass es so etwas wie ein „Briefträger-Syndrom“ gibt. Briefträger erhalten ein Paket und geben es dem Empfänger weiter, ohne reinzuschauen. Reinschauen dürfen sie auch nicht. An den Universitäten erhalten viele Studenten von den Professoren ebenfalls Pakete. Die Studenten übernehmen diese Pakete oft wie Briefträger (sie geben sie später „ungschaut“ ihren Kunden weiter). Ehrenwort: In diesem Buch kommen nur Wissenschaftler zu Wort, die ihre Pakete vor dem Weitergeben auch öffnen.

## PROMINENTE BEISPIELE

Beispiele, was eine gut ausgebildete Grundkondition (man sagt auch Grundlagenausdauer) bewirken kann, gibt es viele: Abfahrtsweltmeister Michael Walchhofer feierte seinen Triumph, nachdem er das Krafttraining reduziert und das Ausdauertraining forciert hatte. Er hatte zuvor kaum ein Lauftempo von 10 km/h geschafft. Die österreichischen Fußballer laufen international hinterher. Peter Pacult engagierte für den FC Kärnten daher einen eigenen Lauftrainer – er war aus der deutschen Bundesliga andere konditionelle Voraussetzungen gewohnt. Das beste Beispiel sind unsere Langläufer: Als sie das Prinzip „erst Ausdauer, dann Kraft“ umsetzten, waren sie urplötzlich konkurrenzfähig.

# Nur gesund oder auch fit?

„Gesund ist, wer völlig frei von physischen und psychischen Beschwerden ist." Das sagt im übertragenen Sinne die Weltgesundheitsorganisation WHO. Ein ziemlich schwammiger Begriff, denn was sind schon Beschwerden? Wenn ich beim Stiegengehen etwas außer Atem komme? Wenn es im Knie ein bisserl sticht? Und: Wenn ich Beschwerden habe, wie werde ich wieder gesund? Das beste Mittel ist natürlich Bewegung.
Dr. Rochus Bokan vom Institut für Sportmedizin der Universität Wien mit Sitz auf der Schmelz, bringt das Herz-Kreislauf-System als wichtigsten Parameter ins Spiel: „Viele Tests und Versuche haben gezeigt, dass man den zusätzlichen Energieverbrauch durch Bewegung und die Gesundheit des Herz-Kreislauf-Systems direkt in Zusammenhang bringen kann." Nämlich: Wer pro Woche 3.500 kcal durch Ausdauersport verbrennt, ist bestimmt „pumperlgsund", wie man so schön sagt.
Ein weiteres interessantes Detail hat die Wissenschaft aufgespürt: Zu Fuß auf ebener Erd' unterwegs, verbrennen alle Menschen auf einer gewissen Wegstrecke ziemlich gleich viel Energie: nämlich 800 kcal auf 10 Kilometer. Egal ob sie gemütlich dahinspazieren, etwas flotter walken, langsam joggen oder einen Tempodauerlauf machen. Warum das? Ganz einfach: Der, der nur moderat wandert, ist natürlich wesentlich länger unterwegs (an die zwei Stunden) als der Tempoläufer (35 bis 40 Minuten).
Was noch interessant ist: Um auf die gesundheitsoptimalen 3.500 Kalorien pro Woche zu kommen, muss man also runde 42 Kilometer zu Fuß zurücklegen. Ein halbwegs fitter Mensch schafft das wiederum in etwa dreieinhalb Stunden. Und das ist auch die Zeit, die als Minimum an Bewegung pro Woche empfohlen wird. Eine Einheit sollte dabei eine etwas längere sein (weitere Details im Kapitel „Trainingsfragen").

## WANN DU FIT BIST

„Ein 30-jähriger Mann sollte ein Lauftempo von 12 km/h mühelos über eine längere Zeit aufrechterhalten können." Dann ist er wirklich fit, meinen die Wissenschaftler des „American College of Sports Medicine". Sie haben, wie erwähnt, Tausende Menschen untersucht und getestet, um zu diesem Ergebnis zu kommen. Die Basis ist also ein 30-jähriger Mann. Das heißt, dass ein 60-jähriger natürlich mit einem etwas langsameren Tempo ebenfalls als „fit" gilt. Frauen dürfen ebenfalls ein wenig abrechnen.
Nun klingt dieses Ergebnis ziemlich „streng". Denn wie viele Leute gibt es schon, die dieses Tempo wirklich locker schaffen. Es gibt übrigens auch den Cooper-Test. Bei diesem sollte man innerhalb von 12 Minuten eine Strecke von drei Kilometern schaffen, dann wird einem eine „ausgezeichnete Fitness" bestätigt. Das entspricht einem Tempo von 14 km/h.

ICHTHOLAN® 50%
Die schwarze Salbe gegen Entzündungen und Schmerz
Salbenverban
bei Sportverletzunge
entzündungshemmend
durchblutungsfördernd
schmerzlindernd
ICHTHOLAN® 50% Salbe
ICHTHOLAN® 50% Salbe
Wirkstoff: Ammoniumbituminosulfonat
Entzündungen
DER HAUT UND GELENKE
40 g
ICHTHYOL
Über Wirkung und mögliche unerwünschte Nebenwirkungen informieren Sie Gebrauchsinformation, Arzt oder Apotheker.
Sanova

# Risiko muss nicht sein!

**„No Risk – no Fun!“, sagt man gern. Muss nicht sein. Wer sinnvoll Sport betreibt, braucht so gut wie kein Risiko einzugehen.**

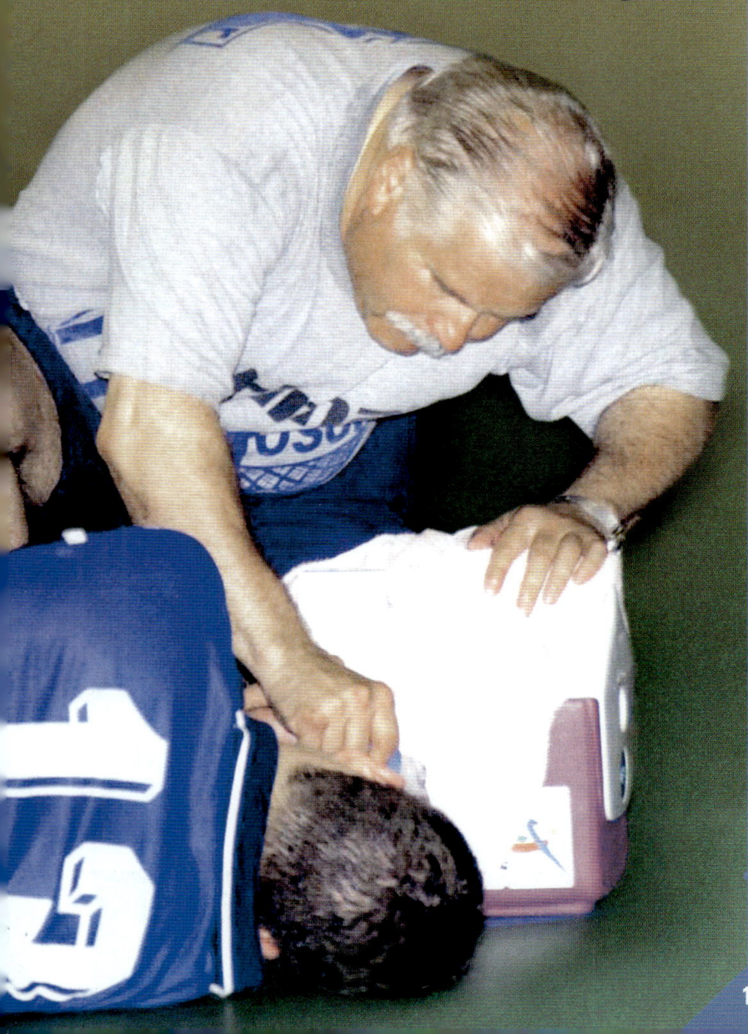

**Das Herz:** Eine schier unermüdliche Maschine. Wer sinnvoll Sport betreibt, verlängert garantiert die Lebensdauer. Es ist wie bei einem Auto: Je größer der Motor, umso länger die Lebensdauer.

**Seite 20**

**Muskeln:** Auch die Muskeln sind so gebaut, dass sie eigentlich keinen Schaden davontragen sollten. Einzige Gefahr: wenn du nicht auf die Warnsignale wie Schmerzen achtest.

**Seite 22**

**Die Sehnen:** Sie sind der neuralgische Punkt. Weil sie wenig durchblutet und obendrein an Knochen angewachsen sind, sind sie sehr überlastungsanfällig.

**Seite 24**

# Ein Herz wie ein Bergwerk

„Das kann das Herz ja nie aushalten", hören wir Nichtsportler oft sagen, wenn sie von außergewöhnlichen Leistungen von Spitzen- oder Hobbysportlern hören. Dabei hat das Herz überhaupt kein Problem mit Höchstleistungen. Weil der Körper äußerst genial konstruiert ist. „Lange bevor das Herz schlappmachen könnte, gehen der Muskulatur die Verbrennungsstoffe aus", erklärt Rochus Pokan vom Institut für Sportmedizin auf der Schmelz in Wien. Sie streikt dann einfach. Und dadurch braucht das Herz nicht mehr weiterarbeiten. Es gibt im Übrigen einen Fitnesstest, der hört auf den Namen „Conconi": Man steigert Schritt für Schritt sein Tempo und beobachtet dabei den Puls. Kurz bevor bei den Kandidaten die Muskeln zu streiken beginnen, gibt es bei der Pulskurve einen Knick. Wegen des oben geschilderten Szenarios.

**Luft.** „Dem ist die Luft ausgegangen", sagt man landläufig. Mit Recht: Damit die Muskeln ihre Arbeit verrichten können, brauchen sie Sauerstoff, um Fette und Kohlenhydrate verbrennen zu können. Dieser Sauerstoff wird über das Blut antransportiert. Wird viel Sauerstoff benötigt, muss also viel Blut umgewälzt werden. Daher muss das Herz schneller schlagen (siehe „Herzrechnungen"). Aber noch wichtiger – und das wird meist nicht bedacht – ist der Abtransport der Verbrennungsstoffe. Laktat ist ein solcher, aber mehr als 100 weitere fallen an (das Laktat ist nur so „berühmt", weil es am einfachsten zu messen ist). Und in Wirklichkeit streiken die Muskeln, weil das Blut diese Verbrennungsstoffe nicht mehr abtransportieren kann. Und daher ist die maximale Sauerstoffaufnahme ein relativ unwichtiger Faktor der Fitness.

**Gefahren.** Ab und zu liest man von Todesfällen bei Sportveranstaltungen. Bei Marathonveranstaltungen, bei Fußballspielen oder bei der Tour de France. Nicht der Sport an sich war aber der Auslöser, sondern ganz andere

## DIE HERZRECHNUNG

Kardiologen sagen, dass jedem Menschen eine bestimmte Zahl an Herzschlägen genetisch „zugeteilt" ist. Im Schnitt sind es mehr als 3 Milliarden Schläge. Ein untrainierter Mensch kommt damit vielleicht 60 Jahre aus, ein trainierter an die 100 Jahre. Denn: Bewegt sich der Mensch, wächst das Herz (sozusagen mit der Aufgabe) – und muss weniger oft schlagen. Jeder Mensch wälzt im Ruhezustand pro Minute 5 Liter Blut um (egal ob sportlich oder nicht). Ein sportlicher Mensch hat ein größeres Herz und kommt daher mit 60 Schlägen, oft sogar mit 40 aus. Ein unsportlicher (ver-)braucht bis zu 100 Schläge in der Minute.

Dinge: Bei Marathonveranstaltungen rennen ab und zu Leute mit, die an diesem Tag nicht rennen hätten dürfen. Weil sie einen Infekt in sich trugen. Bei Fußballspielen kicken manchmal junge Menschen mit, die einen angeborenen Herzfehler haben. Obwohl Profi, wurden diese jungen Leute oft zu wenig genau untersucht.

**Doping.** Die dritte Gefahr für das Herz ist das Doping. Also der Versuch, den Körper mit verschiedenen Medikamenten leistungsfähiger zu machen. Vor allem Doping und Krafttraining gelten als besonders unverträglich. Aber auch der Bewegungsapparat kann geschädigt werden. „Die Muskeln wachsen rascher als die Sehnen, diese können dann den Belastungen nicht mehr standhalten", erklärt Dr. Artur Trost, Chirurg und Sportarzt in Salzburg (bekannt geworden als jener Arzt, der das Bein des Herminators wieder zusammenflickte).

**Check.** Diese drei Gefahren lassen sich aber ganz einfach vermeiden: Dass Hobbysportler dopen, wollen wir ja gleich mal ausschließen. Dass Hobbysportler mit Verkühlungen, Entzündungstaschen im Zahnfleisch und eitrigen Stirnhöhlen Sport betreiben, ist leider Tatsache. Eine traurige allerdings. Sport ist in solchen Fällen tatsächlich (Selbst)Mord. Was also ist zu tun? Unbedingt den Körper von Zeit zu Zeit testen. Es reicht eine Gesundenuntersuchung, da wird das Blut gecheckt – zu viele weiße Blutkörperchen deuten auf Entzündungsherde hin. Entzündungsherde können den Herzmuskel schädigen, leider erhöht sportliche Bewegung das Risiko in dem Fall sogar. Ein erhöhter Ruhepuls ist übrigens ebenfalls ein Warnzeichen.

**EKG.** Wer plötzlich von einem unbändigen Ehrgeiz gepackt wird und seinen Trainingsumfang erhöhen will, sollte unbedingt ein Belastungs-EKG machen. Dabei können etwaige versteckte Probleme entdeckt werden. Danach steht aber einem langen, bewegten Leben nichts mehr im Wege.

## DAS SPORTLERHERZ

Das Herz von Sportlern ist größer als das eines weniger gut trainierten Menschen. Bei der Sportausübung ergibt sich daher folgende Rechnung: Angenommen, Gerrit Glomser fährt mit 150 Puls am Rad. Oder Felix Gottwald rennt mit derselben Herzfrequenz auf den Untersberg. Jetzt spannen wir zu den beiden Profis zwei Amateure: Auch diese zwei sind mit 150 Puls unterwegs. Sie werden das Tempo der beiden Profis nicht halten können, weil Gerrit und Felix ein viel größeres Herz haben, dadurch mit den 150 Schlägen pro Minute eine größere Menge Blut austauschen, dadurch mehr Sauerstoff in die Muskeln aufnehmen und mehr Verbrennungsstoffe abtransportieren können. So können die beiden viel schneller radeln und laufen. Ein Sportlerherz wird fälschlicherweise oft als Problem dargestellt. Probleme ergeben sich aber dann, wenn ein Profi nach der Karriere nicht „abtrainiert".

# Pflege dein Muskelpaket

Mehr als 600 Muskeln sorgen in unserem Körper dafür, dass wir uns fortbewegen. Nicht nur das. Unser Skelett würde in sich zusammenfallen, gäbe es nicht Muskeln und Bänder, die unsere Knochen verbinden. Eigentlich sind es lauter Muskelpaare: Die eine Partie ist für das Strecken zuständig, die andere für das Beugen. Gegenspieler oder Antagonisten werden sie genannt.

**Anatomie.** Betrachtet man eine Muskelfaser unter dem Mikroskop, dann erkennt man, dass dieser kleinste Teil eines Muskels wiederum aus mehreren Bestandteilen besteht: aus ganz winzigen, aneinander gereihten Kammern. Bewegen wir uns, kommen zwei Proteine ins Spiel: das Aktin und das Myosin. Das Aktin bietet kleine, winzige Anheftungsscheiben, von welchen feine Fäden ausgehen. Zwischen diesen Fäden liegen die Myosinmoleküle. Bei jedem Schritt, bei jedem Tritt hanteln sich die Enden der Myosinmoleküle und die Aktinfäden aneinander weiter. Und wie bei einem Drahtseil sind die einzelnen Muskelfasern zu Faserbündeln verwoben, die Faserbündel „verbandeln" sich schließlich zu den verschiedenen Muskeln.

**Treibstoff.** Bei Bewegung wird Energie verbrannt. Das geschieht wiederum in speziellen Zellen, den berühmten Mitochondrien, den Kraftwerken in unserer Muskulatur. Die gewonnene Energie wird schließlich im Adenosintriphosphat, dem nicht minder berühmten ATP gespeichert. Diese Energie wird vom ATP exakt in dem Moment, in dem der Muskel kontraktiert, an die Myofibrillen abgegeben.

**Rückstände.** Überall, wo Energie verbrannt wird, bleiben Verbrennungsrückstände zurück. Am berühmtesten ist das Laktat, quasi der Star unter den Abfallstoffen. Sie alle werden über den Blutkreislauf (die Venen) abtransportiert und über die Lunge ausgeatmet. Die Zulieferung

### MUSKELPFLEGE

So pflegst du dein Muskelpaket: 1. Aufwärmen! Mindestens 10 Minuten, besser 20 Minuten. 2. Auslaufen oder abwärmen. Wer das nicht macht, lässt seine Verbrennungsrückstände im Körper, vermindert seine Leistungs- und Regenerationsfähigkeit. 3. Stretchen! Wer nach dem Sport nicht stretcht (muss nicht sofort sein, besser ist's, ein wenig zu rasten), nimmt eine Verkürzung der Muskeln und daher vermehrten Zug auf die Sehnen in Kauf. Und erhöht das Verletzungsrisiko.

des Sauerstoffs geht über die Arterien vor sich. Diese verzweigen sich bis hin zu den so genannten Kapillaren in den Muskeln, wo die Arterienkapillaren und die Venenkapillaren das Blut austauschen. Stellt man die sportliche Tätigkeit plötzlich ein, verbleiben viele Rückstände in den Muskeln. Daher ist das „Abwärmen", also gemäßigte Bewegung in Form von lockerem Auslaufen, so wichtig.

## Das Nervensystem

**Steuerung.** Woher wissen die Muskeln, was sie zu tun haben? Richtig: Das Nervensystem bewerkstelligt dies. Wiederum Schritt für Schritt beim Laufen, Tritt für Tritt beim Radeln, Abdruck für Abdruck beim Skaten.

**Unbewusst.** Viele Tätigkeiten im Körper laufen unbewusst ab. Das Herz schlägt ganz von alleine, so schnell oder langsam, wie eben nötig. Der Magen verdaut ebenfalls von selber. Und unser Kopf wiederum wird durch eine Reihe von Muskeln dort gehalten, wo er sich befindet – nämlich eigentlich etwas zu weit vorne, wenn man die Körperachse und die Schwerkraft betrachtet.

**Willkürlich.** Für uns Sportinteressierte ist natürlich das willkürliche Nervensystem von größerem Interesse. Besonders interessant ist, dass viele Tiere schon wenige Minuten nach der Geburt gehen können. Und nach wenigen Stunden und Tagen laufen und springen. Aber: Sie lernen dann kaum noch was dazu. Der Mensch braucht fast zwei Jahre, bis er halbwegs sicher unterwegs ist. Dafür kann er im hohen Alter immer noch neue Sportarten erlernen. Und: Viele erlernte Bewegungen werden – bildlich gesprochen – in das unbewusste Nervensystem ausgelagert. Manches geht dann eben „wie von selbst". Das Blöde daran: Einmal schlecht eingeübte Bewegungsabläufe sind schwer wieder auszubügeln. Denn beim Sport ist vieles eine Frage der Gewohnheit. Manchmal leider der schlechten Gewohnheiten – also einer schlechten Technik.

### WARNSIGNALE

Das Nervensystem sorgt auch dafür, dass wir unsere Muskeln nicht überlasten können: Im Bedarfsfall sendet jeder Muskel Schmerzsignale aus. Und zwar rechtzeitig. Warum dann trotzdem Verletzungen passieren? Der Wiener Orthopäde Dr. Alexander Zembsch weiß es: „Weil die Menschen die Schmerzsignale oft nicht beachten." Die Gefahr: Man wird schmerzresistent. Die Snowboarderin Heidi Krings weiß davon ein Lied zu singen: Sie bemerkte gar nicht, dass ihr Kreuzband gerissen war. Und fuhr die Weltcupsaison zu Ende. Inklusive Sieg und Stockerlplätzen.

# Empfindliches Bindeglied

**Beim Weitsprung wird die Achillessehne extrem belastet.**

Es gibt Körperteile, deren Empfindlichkeit uns nicht bewusst ist, solange sie keine Probleme machen. Die Sehnen etwa, das Bindeglied zwischen Muskel und Knochen.

**Bindeglied.** Jeder Muskel hat zwei Enden. Nämlich in Form von Sehnen. Und jede Sehne ist an einem Knochen angewachsen. Bei über 600 Muskeln ergibt das die beachtliche Anzahl von 1.200 Sehnen. Was nun für sportliche Betätigung, vor allem für eine reibungslose oder verletzungsfreie Ausübung wichtig ist, ist ein Detail, das den von den meisten Menschen zu wenig beachtet wird:

**Der Bewegungsapparat.** Unser Bewegungsapparat besteht bekanntlich aus Knochen, Sehnen und Muskeln. Diese drei „Materialien“ sind verschieden stark durchblutet. Am meisten die Muskeln, viel, viel weniger die Sehnen und fast gar nicht die Knochen. Die Knochen machen die wenigsten Probleme, es sei denn durch Unfälle oder Gewalteinwirkung. Das Problem sind die Sehnen.

**Durchblutungsarmut.** Weil die Muskeln stark durchblutet sind, sind sie auch viel schneller auf „Betriebstemperatur“. Die Sehnen brauchen dazu etwas länger. Und weil das vielen Sportlern nicht bewusst ist, wärmen sie sich zu wenig auf – und kriegen deshalb Probleme mit den Sehnen.

**Achillesferse.** Stellvertretend sei die Achillessehne erwähnt: Viele Hobby- aber auch Profisportler leiden aus ganz einfachen Gründen an der berühmten „Achillesferse“: Sie dehnen ihre Muskeln, in diesem Fall die Wadenmuskeln zu wenig. Diese verkürzen sich in der Folge, der Zug auf die Sehne steigt damit, das arme Ding entzündet sich. Und weil viele Sportler dennoch nicht „ruhgeben“ können, reißt das Ding irgendwann. Das zweite Problem sind zu rasch gesteigerte Umfänge oder Intensitäten. Auch hier können die Sehnen mit den Muskeln oft nicht mithalten. Als Hobbysportler sollte man also mit plötzlichen Ehrgeizanfällen sehr vorsichtig sein.

Über Wirkungen und mögliche unerwünschte Wirkungen informieren Gebrauchsinformationen, Arzt oder Apotheker.
FLECTOR® EP
– das Schmerzpflaster
bei Sportverletzungen, Muskelschmerz und Verspannung
Sanova
Flector® EP Pflaster ist in den Packungsgrössen zu 2, 5 und 10 Stück in den Apotheken rezeptfrei erhältlich.
www.flector.at

# Zur Bewegung verdammt

**Die Evolution hat unseren Körper zu Bewegungszwecken konstruiert. Sitzen ist eigentlich „artfremd".**

Am Anfang war Chaos. Dann entwickelte sich durch eine Reihe von Zufällen Leben auf der Erde. Pflanzliches und tierisches Leben. Der gravierende Unterschied: Pflanzliche Lebewesen sind passiver Natur. Die meisten stehen im wahrsten Sinne des Wortes „angewurzelt" herum und warten auf Nahrung und auf Samen.

**Bewegung.** Die tierischen Lebewesen mussten sich zum Zwecke der Ernährung und der Fortpflanzung (zur Erhaltung der Art) immer schon bewegen. Also hat die Evolution die Konstruktion des menschlichen Körpers auf diese äußeren Umstände abgestimmt. Ein Ingenieur oder ein Konstrukteur hätten das genauso gemacht.

**Anatomie.** Das Herz-Kreislauf-System etwa funktioniert auf ausgeklügelte Art und Weise: Das Herz pumpt über die Arterien Sauerstoff zu den Muskeln. Dort wird Energie verbrannt, der Rücktransport des mit Verbrennungsstoffen angereicherten Blutes erfolgt sprichwörtlich „auf dem Fuß": Das Blut wird vor Ort (also schon in den Muskeln) in das System der Venen geleitet – quasi „umgeladen". Wie bei einem modernen Speditionsunternehmen, das leere Rückfahrten tunlichst vermeidet. Und weil der Körper mit der Energie haushalten soll, wurde für den Rücktransport des Blutes keine eigene Pumpstation eingerichtet. Der Konstrukteur des Körpers – die Evolution – hat die Venen so zwischen die Muskeln eingebettet, dass diese die Pumpfunktion übernehmen. Bei jedem Schritt, den wir tun, wird etwas Blut zurückgepumpt. Wer zu wenig Schritte tut, der behält sein Blut mitunter in den Beinen und hat in der Folge ein Durchblutungsproblem.

**Speichersystem.** Weil ursprünglich, aufgrund des wechselnden Klimas etwa, nicht immer ausreichend Nahrung vorhanden war, hat die Evolution ein geniales „Speicherprogramm" entwickelt: Ausgerechnet wenn wenig zu essen da war, haben die Menschen vermehrt Fett gespeichert.

www.ghostcompany.at
Es ist nie zu spät, den 1. SCHRITT zu tun!
TSCHÜSS SCHWEINEHUND!
„Es ist nie zu spät, den ersten Schritt zu tun!“
Ein paar Stiegen steigen, eine Station zu Fuß gehen oder langsam laufen.
Es ist nur ein kleiner Schritt zur großen Wirkung!
FONDS GESUNDES ÖSTERREICH
www.gesundesleben.at
BUNDESMINISTERIUM FÜR GESUNDHEIT UND FRAUEN
b m g f

## ADRENALIN & CO

Stresshormone wie Adrenalin sind ebenfalls „Kinder der Evolution“: Wenn Feinde auftauchten, musste der Mensch manchmal kurzfristig zwischen Angriff und Flucht entscheiden. Für beide Alternativen war erhöhter Muskeltonus vonnöten. Dafür „erfand“ die Evolution eben diese Stresshormone. Sie sorgten auch noch für eine Schrecksekunde, in welcher unsere Vorfahren mit einem lauten Schrei ebenfalls erschrecken ließen. In dieser kurzen Zeitspanne wurde der Muskeltonus aufgebaut – und es konnte geflüchtet oder angegriffen werden. Das mit dem Adrenalin funktioniert immer noch – allerdings können wir unseren Chef weder angreifen, noch können wir vor ihm flüchten. Also bleibt das Adrenalin im Körper. Mit Bewegung können wir es wieder rausspülen.

Als „eiserne Reserve“ sozusagen. Der Körper hat zugleich gelernt, in solchen Notsituationen den Energieverbrauch zu reduzieren – deshalb ist klar, dass Nulldiäten nichts bringen. (Anmerkung: Schon klar, dass die meisten Leser dieses Buches sich eh fleißig bewegen – aber dieses „Speicherdetail“ kann man sich nicht oft genug in Erinnerung rufen ...)

**Jäger.** Schließlich ging der Mensch auf die Jagd. Natürlich zu Fuß. Und weil der Mensch den zu jagenden Tieren in der Schnelligkeit unterlegen war, wurde er zu einem Langstreckenläufer. Ein zu erlegender Hirsch musste schließlich müde gelaufen werden. Also wurde der Mensch zu einem „Ausdauer-Typ“. (Das mit dem „Hirsch müde Laufen“ machen Indianer im mexikanischen Hochland immer noch so – und es funktioniert auch, weil Hirsche quasi „Schnellkraft-Typen“ sind.)

**Sitzer.** Wie wir wissen, änderten sich die Lebensgewohnheiten des Menschen: Er erfand Drive-in-Restaurants, muss sich also zur Nahrungsaufnahme nicht mehr bewegen. Dadurch werden viele Menschen zu dick. Und weil das nicht schick ist, hungern sie zwischendurch. Weil aber die Evolution seinerzeit das „Energiesparprogramm“ und das „Fettspeicherungsprogramm“ entwickelt hatte, kommen die Systeme (scheinbar) gehörig durcheinander: Wer hungert, wird nicht schlanker, sondern nimmt zu.

**Unterhaltung.** Aber es gibt gottlob – wenn auch viel zu wenig – Menschen, die sich immer noch bewegen. Allerdings ging der Mensch dann daran, zum Zwecke, andere Menschen zu unterhalten, verschiedene risikoreiche Sportarten zu erfinden. Manchmal so extrem, dass sogar die Körper der besttrainierten Teilnehmer den Belastungen nicht mehr standhalten: Der alpine Schirennlauf beispielsweise. Aufgrund der hochentwickelten Carvingschi und der unglaublichen Muskelkraft der Läufer passiert

## Das Kreuz mit dem Kreuz

es immer wieder, dass Menisken und Bänder während der Fahrt zu Schaden kommen. Dazu erfand er auch noch „Indoor"-Arenen mit Böden, die mehr als ungesund sind. Basketball, Volleyball und Hallentennis sind für die Gelenke der unteren Extremitäten extrem schädlich. Interessanterweise sind die beiden gesündesten Sportarten, der Schilanglauf und das Schwimmen, eher rückgängig. Und auch sanfte Kampfsportarten, wie etwa Judo, sind alles andere als Massensportarten.

**Wirbelsäule.** Zu guter Letzt ging der Mensch auch daran, alles, was sich automatisieren lässt, zu automatisieren. So kam es, dass der Großteil der Menschen zum Zweck des Broterwerbs nur noch vor einem Computer oder einem sonstigen Gerät sitzt. Vor allem das Sitzen ist es, was der Wirbelsäule nicht gut tut. Das bringt extreme Probleme. Weil es in den Köpfen der Menschen immer noch nicht richtig verankert ist, dass ausgerechnet von der Wirbelsäule jene Nervenstränge ausgehen, welche die Bewegung der Muskulatur erst ermöglichen. Ausschließlich von der Wirbelsäule. Kein einziger Muskel ist nervenmäßig mit dem Gehirn direkt verbunden.

**Bandscheiben & Co.** Daher sollte jeder Hobbysportler auch seine Rumpfmuskulatur kräftigen. Auch wenn er diese in seiner Sportart scheinbar nicht wirklich beansprucht. Ganz einfach zur Abstützung der Wirbelsäule. Sonst drücken die Bandscheiben auf die Nervenstränge und blockieren ganze Muskelpartien. Probleme in der Oberschenkelmuskulatur, mit den Adduktoren oder in den Leisten rühren nicht selten daher, dass ehrgeizige Manager ihre Halsmuskeln dauernd anspannen. Dem Villacher Arzt Dr. Bernd Mirtl etwa brauchst du nur zu sagen, welcher Muskel Probleme macht – und er sagt dir, welcher Wirbel welchen Nervenstrang einengt.

### RUMPFKRÄFTIGUNG

Um die Rumpfmuskulatur – das sind im Wesentlichen die Bauch- und Rückenmuskeln – zu kräftigen, muss man nicht gleich täglich ins Fitnessstudio pilgern. „Am besten sind Übungen mit dem eigenen Körpergewicht", meint Dr. Klaus Engelke, Facharzt für Orthopädie und Leiter des Orthopädischen Krankenhauses „Theresienhof" im steirischen Frohnleiten. Die da wären: Klimmzüge und die guten, alten Liegestütze. Leichte Hanteln sind ebenfalls erlaubt. Die allergesündeste Art wäre ein Rudererergometer. „Rudern ist das beste Training für die Rumpfmuskulatur", ist der Fachmann überzeugt.

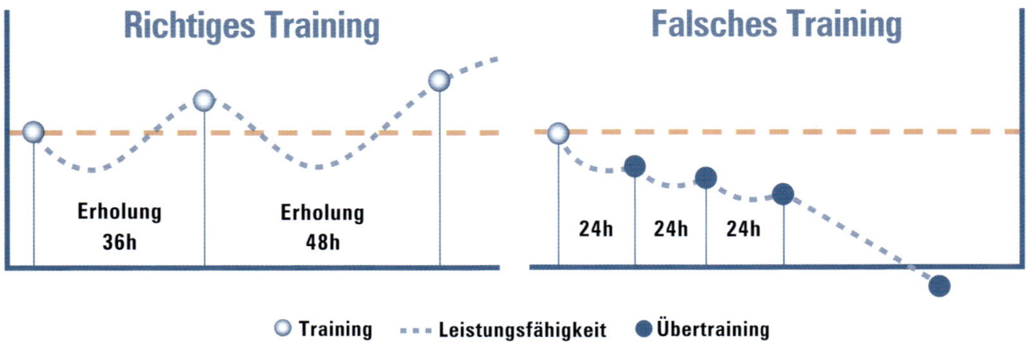


# Den Körper (gezielt) reizen

Was passiert eigentlich, wenn man einen Lauf- oder Radausflug unternimmt, einige Langlaufrunden dreht, in der Kraftkammer Gewichte stemmt oder ein paar Längen im Becken herunterspult? Ganz einfach: Der Körper ermüdet. Trainingswissenschaftler nennen es „Trainingsreiz". Denn wenn man dann dem Körper eine Pause gönnt, reagiert er:

**Kompensation.** Zuerst trachtet er danach, sich von dem Trainingsreiz zu erholen. Das nennen die Wissenschaftler „Kompensation". Bevor der Körper sich nicht restlos erholt hat, sollte man nicht wieder trainieren.

**Überkompensation.** Noch besser ist es, noch eine Zeit lang zu warten. Dann hat der Körper die ursprüngliche Erschöpfung nämlich „überkompensiert", er ist bereit, eine noch bessere Leistung zu bringen. Wenn man ihm genügend Zeit lässt.

**Zeiten.** Aber wie lange dauert es, bis er sich erholt hat? Mag. Manuel Golda: „Je nach Härte des Trainings 24 bis 48 Stunden." Und wie kann man als Hobbysportler feststellen, ob man schon erholt ist? Golda: „Am besten durch den Ruhepuls." Solange dieser erhöht ist, ist man noch nicht belastungsfähig. Wer trotzdem trainiert, schwächt seinen Körper nach und nach.

### DIE SCHLIMMSTEN FEHLER

Zwei Fehler machen Hobbysportler gerne: Sie trainieren zu viel – und sie trainieren zum falschen Zeitpunkt. Das ist nicht unbedingt eine Frage des Umfangs. Den falschen Zeitpunkt oder die falsche Intensität kann man schon bei 30 Laufkilometern in der Woche erwischen. Wer täglich eine halbe oder Dreiviertelstunde Sport betreibt, das aber zu intensiv, kann schon ins Übertraining schlittern.

# Ausdauer –
## aber eben nicht nur!

**Wer einfach drauflossportelt, kann böse Überraschungen erleben.**

**Bestandsaufnahme:** Als Erstes muss man sich fragen, was man will.
Seite 32

**Periodisierung:** Die zweite Frage ist, wann ich was will.
Seite 34

**Abwechslung:** Die ist ganz besonders wichtig. Sonst wird's langweilig.
Seite 36

# Was will ich denn?

## DIE TYPEN

Noch gibt es keine „offizielle" Kategorisierung, weder von der WHO noch von sonst einer anerkannten Institution. Also wollen wir hier einen Versuch machen. Da wären einmal die reinen Gesundheitssportler. Die wissen, dass Bewegung gesund ist, haben gehört, dass man sich dreimal die Woche bewegen soll. Dann gibt es noch die fitnessorientierten Hobbysportler (gemeint sind immer Frau und Mann). Die wollen auf der Laufmeile oder am Radweg nicht dauernd überholt werden. Dann kommen schon die Leistungsorientierten: Sie vergleichen im Bekanntenkreis die Kilometerzeiten und den Kilometerschnitt, nehmen an Hobbybewerben teil. Und dann gibt's da noch die „Ehrgeizler". Die wollen dauernd ihre Marathonbestzeit verbessern und überhaupt immer ganz vorne dabei sein.

Weil der Körper nicht wirklich eine Maschine ist, wo man eine Münze reinwerfen kann und prompt die gewünschte Leistung rauskommt, muss man sich Gedanken machen, wie man sich die (meist karge) Trainingszeit einteilt.

**Periodisierung.** Das ist das Zauberwort in den meisten Sportarten. Mit wenigen Ausnahmen – wie etwa im Tischtennis – gibt es eine Wettkampfsaison und eine Vorbereitungssaison. Im Schisport ist die Wettkampfsaison sogar wesentlich kürzer als die Vorbereitungsperiode, in manchen Sportarten teilen sich die Sportler die Saison selber ein, wie zum Beispiel die Marathonläufer. Da finden zwar jedes Wochenende gleich mehrere Marathons irgendwo auf der Welt statt, mehr als zwei Bewerbe läuft aber kaum jemand. Denn die Vorbereitung auf solch einen Event nimmt ein halbes Jahr in Anspruch. Und belastet die Körper der Topstars derart, dass eben mehr als zwei Bewerbe Raubbau an der Gesundheit bedeuten würden.

**Spezifisch.** Es gibt natürlich sportartspezifische Unterschiede. Vor allem bei den Profis. Ein extremes Beispiel ist Werner Schlager: Seine Sportart erfordert alles, aber nichts extrem: Er muss genauso ausdauernd wie schnell und locker sein, muss für das Service den Puls runterbringen, um dann sofort wieder „auf 180" zu sein, wie man sagt. Zudem ist seine Wettkampfsaison derart lang, dass für eine sonst übliche „Periodisierung" gar keine Zeit bleibt. Und dann gibt es wieder Sportarten, wo die Ausdauer eine Rolle spielt, die man gar nicht für möglich halten möchte. Wie im Judo, beim Segeln, beim Beachvolleyball. Aber dazu später.

**Hobbysport.** Es gibt auch die unterschiedlichsten „Kategorien" von Hobbysportlern. Der eine kickt in einem Fußballverein, der andere läuft Marathon, wieder andere spielen Tennis oder Golf. Oder es gibt Hobbysportler, die sich hauptsächlich deshalb bewegen, weil sie wissen, dass Bewegung für die Gesundheit wichtig ist. Gesundheitssportler könnte man dazu sagen. Und für die Gesundheit am gesündesten ist Ausdauersport. Und dann gibt es noch eine Menge „Funsportarten“. Was nicht heißen soll, dass ein längerer Lauf oder eine längere Radtour nicht auch Spaß machen können.

**Gesundheit.** Am gesündesten für den Menschen sind auf alle Fälle Ausdauersportarten. 70 Prozent sollten dieser Sparte gewidmet sein, der Rest sollte in Koordination (wird häufig sehr vernachlässigt) und Kraft investiert werden. Wobei unter Kraft nicht etwa Bodybuilding gemeint ist, sondern hauptsächlich die Kräftigung der Rumpfmuskulatur. Denn neben den Problemen mit Herz und Kreislauf ist der häufigste „Krankheitskandidat“ die Wirbelsäule. Und die wird gerade bei den „lustigsten“ Sportarten am meisten belastet: Squash, Volleyball, Tennis, Carven, Boarden – usw.

## Einige Sportarten und ihr gesundheitlicher Nutzen

**Wie die Aufstellung unten zeigt, ist nicht alles gesund, was Spaß macht. Doch eine gesunde Kombination von verschiedenen Bewegungseinheiten kann eine recht gute Mischung für den Körper darstellen.**

| ortart | Durchschnittlicher Energieverbrauch | Allgemeiner Nutzen | Spezieller Nutzen | | | Verletzungsrisiko, Vor- und Nachteile |
|---|---|---|---|---|---|---|
| | | | Ausdauer | Kraft | Koordination | |
| fen | Ca 800 kcal auf 10 km, unabhängig vom Tempo | Stärkt Herz, Kreislauf, Atmung, verbessert Fettstoffwechsel, senkt Cholesterin etc. | 🙂 | 😐 | 🙁 | Am ehesten durch Überlastung, Gelenke werden geschmiert, Knochen gekräftigt |
| en | Pro Stunde: bei 15 km/h etwa 380 kcal, bei 21 km/H etwa 600 kcal | Wie Laufen, mit dem Vorteil der geringeren Belastung für Gelenke | 🙂 | 😐 | 🙁 | Kopf und Augen, bei Stürzen Schulter und Hüfte, bei MB-Downhill Hodenquetschung |
| wimmen | Bei 20 Min. lockerer Betätigung rund 150 kcal | Eine sehr gelenkschonende Sportart, sollte ein Fixprogramm für alle sein | 🙂 | 🙂 | 🙂 | So gut wie kein Verletzungsrisiko, ist vielmehr Top-Rehab-Sportart |
| glaufen | Je nach Tempo und Anstrengung 500 bis 800 kcal/h | Top! Bewegt so gut wie alle Muskeln, schont aber gleichzeitig die Gelenke | 🙂 | 🙂 | 🙂 | Relativ hoch, bei Stockeinsatz sind Schulter und Ellbogen gefährdet |
| dic lking | Wie beim Laufen: auf 10 km rund 800 kcal | Perfekt als Einstieg nach langer Bewegungspause, schont Gelenke | 🙂 | 😐 | 😐 | Sehr geringes Risiko, Achtung auf die Schulter beim Stockeinsatz |
| obic | Je nach Intensität bis zu 500 kcal/h | Guter Ausgleich für Läufer(innen) und andere Ausdauersportler(innen) | 😐 | 😐 | 😐 | Prinzipiell gering, bis auf einige Übungen wie Klappmesser und schnelle Rumpfbeuge |
| f | Auf einer 18-Lock-Runde in etwa 1000 kcal (Dauer: 4:30 h) | Niedrige Intensität für Herz-Kreislauf, daher gesund. Stressabbau | 😐 | 🙁 | 😐 | Insgesamt sehr gering |
| nis | Je nach Intensität 300 bis 500 kcal/h | Gut für die Koordination, ideal gegen altersbedingte Leistungseinbußen | 😐 | 😐 | 🙂 | Von Knöchel über Knie bis Schulter und Ellbogen – je nach Technik des Spielers |
| ven | An einem intensiven Schitag können es 2000 kcal sein | Spaßfaktor überwiegt, bringt für Ausdauer nix, immerhin viel frische Luft | 😐 | 😐 | 🙂 | Am häufigsten Knieverletzungen, bei Stürzen Kopfverletzung – Helm tragen! |
| ne-Skaten | Sehr intensitätsabhängig – 400 bis 800 kcal/h | Wie Laufen und Biken, guter Ausgleich, stärkt hintere Oberschenkelmuskulatur | 🙂 | 😐 | 🙂 | Bei technisch guter Ausführung bedenkenlos, Gefahr von Stürzen |
| lleyball | Wettkämpfer verbrauchen bis zu 600 kcal/h | Gut für Koordination, Reaktion und Beweglichkeit, Sozialnutzen (Mannschaft) | 😐 | 😐 | 🙂 | Gefährdet sind vor allem Schulter, Fußgelenk und Achillessehne |
| uash | Bis zu 900 kcal/h | Leider eine der ungesündesten Sportarten, macht aber mächtig Spaß | 🙁 | 😐 | 🙂 | Ist eine typisch „asymmetrische“ Sportart, Kopf und Augen sehr gefährdet |

■ **Ausdauer** ■ **Kraft** ■ **Koordination**

# Reine Einteilungssache

Ein Jahr kann lang sein – oder kurz. Das ist oft eine Sache der Wahrnehmung. Tatsache ist, dass der Körper ab und an Ruhephasen braucht. Denn nur in den Pausen schöpft er wirklich Kraft. Also soll jedes Sportprogramm mit einer Zeit der Erholung beginnen.

**Regenerationsphase.** Diese schließt sich logischerweise an den Saisonhöhepunkt an. Am besten macht man „aktive Regeneration", also leichte Bewegung mit stark reduzierten Intensitäten und Umfängen.

**Ausdauerphase.** In den meisten Sportarten schließt sich an die Regenerationsphase eine längere Ausdauerphase an. Auf den Punkt gebracht, kann man nämlich sagen, dass Training wenig Sinn macht, wenn die Grundlagen nicht stimmen. Krafttraining ohne Ausdauer macht keinen Sinn. Vor allem nicht für Hobbysportler. Wer leistungsfähig sein will, braucht ein großes, kräftiges Herz, welches sich erwiesenermaßen nur mit Ausdauertraining heranbildet.

**Übergangsphase.** Nach dieser Ausdauerphase, die bis zu drei Monate dauern kann – meist wird parallel dazu natürlich etwas Kraft oder Kraftausdauer, vor allem aber Koordination gemacht –, wird eine Phase des Übergangs an die Reihe kommen. Läufer sprechen von einer Schwellenphase, Radler von einer Entwicklungsphase – jede Sportart hat so ihre eigenen Sprachregelungen. Triathleten etwa schulen beim Schwimmen ihre „lokale Kraftausdauer", also jene Muskeln, die beim Laufen und Radeln nicht betätigt werden (Triathlon ist übrigens eine besonders gesunde und empfehlenswerte Kombination von Laufen, Radeln und Schwimmen).

**Spezifisch.** Als Letztes ist dann eine wettkampf- und sportartspezifische Phase dran. Marathonläufer trainieren dann das Marathontempo, Radler üben und simulieren Sprints oder Bergetappen, Schirennläufer betreiben Stangentraining und so weiter.

### PERIODISIERUNGEN

Die Sportwissenschaft unterscheidet im Groben zwischen zwei Periodisierungsmodellen: Die „Einerperiodisierung" und die „Zweierperiodisierung". Das ergibt sich aus der Tatsache, ob es nun einen Saisonhöhepunkt oder deren zwei gibt. Bei den Profis gibt der Wettkampfkalender die Einteilung des Trainings vor – diese kann von Jahr zu Jahr wechseln. Großereignisse wie Olympia spielen da eine wichtige Rolle. Viele Profis trainieren auch nach der Devise „drei plus eins": Drei Wochen lang werden Umfang oder Intensität gesteigert, dann gibt es eine Erholungswoche. Da wird das Pensum zurückgeschraubt – um Kraft zu tanken. Denn erst in der Erholungsphase wirkt sich Training wirklich aus.

**Wettkampfphase.** Bis schließlich die Wettkampfphase an der Reihe ist, vor allem bei den Profis. Es gibt aber auch Hobbysportler, die verschiedene „Serien" mitmachen: Das kann ein Volkslaufcup sein, eine Mountainbike-Serie und so weiter. Meist wird diese Phase nicht so lange dauern wie bei den meisten Profis. Was auffällt: Hobbysportler sind eher geneigt, alle Wettbewerbe, die sie sich vorgenommen haben, „durchzuziehen". Auch wenn es nicht besonders läuft oder wenn Krankheiten dazwischenkommen oder Verletzungen. Das ist keine gute Entscheidung. Verletzungen, vor allem wenn sie von Überlastungen herrühren, sind ein Signal des Körpers: „Ich will nicht mehr, ich brauche eine Pause"!

**Mikrozyklus.** Die Trainingswissenschaft unterscheidet drei Zyklen. Den Makrozyklus: Dieser beschreibt das ganze Jahr oder, bei der „Zweierperiodisierung", ein halbes Jahr. Die eben geschilderten drei Phasen nennt man „Mesozyklus". Und dann kommt eben der Mikrozyklus dazu, das ist für gewöhnlich eine Woche. Wie in der Bibel auch geschrieben steht, solltest du – spätestens und mindestens – am siebenten Tage ruhen. Auch hier zeigt sich eine Parallele von Hobby- und Profisportlern: Allesamt haben sie zu wenig Zeit. Für Nik Berger und Clemens Doppler ist der Tag genauso zu kurz wie für einen Manager, eine Hausfrau oder einen Tischlermeister: Berger/Doppler sollen Ausdauertraining, Krafttraining und Balltraining möglichst ausgewogen unterbringen. Diese Zeitnot ist auch für Hobbysportler sehr gefährlich. „Meist bleibt den Hobbysportlern nur eine Stunde am Tag für ihr Training, daher ist es verständlich, dass sie dazu neigen, Gas zu geben", kennt auch Dr. Artur Trost das Problem. Man will ja „was spüren". Daher wird oft das Aufwärmen vernachlässigt – und es kommt zu Verletzungen. Bei den Profis genauso wie bei den Amateuren.

### UHR GEGEN „G'FÜHL"

Soll man nun bei jedem Training eine Pulsuhr tragen? Oder sich rein auf das Körpergefühl verlassen? Wie man an den Beispielen der Sportler in diesem Buch sieht, macht's der eine mit Pulsuhr, der andere ohne. „Ideal ist eine Pulsuhr in Kombination mit dem Körpergefühl", meint Manuel Golda. Denn das Körpergefühl kann trügen: Man ist super drauf, macht eine längere Ausdauereinheit, macht diese wegen des Hochgefühls in zu hoher Intensität – und dahin ist der gewünschte (Ausdauer-)Effekt. Wenn Hans Knauss oder Renate Götschl Stangentraining machen, bringt eine Pulsuhr freilich nichts. Oder wenn Berger/Doppler Service, Annahme und Blocken üben. Wenn sie aber am Abend am Ergometer sitzen, schon. Übrigens: Franz Stocher, Gerrit Glomser und andere kennen ihren Körper auch ganz gut – und trainieren trotzdem ausschließlich mit Pulsuhr.

# Körper mag Abwechslung

## EINE SPORTWOCHE

Die kann ziemlich abwechslungsreich sein. Beginnen wir bei der langen Einheit: Da macht man mal einen Long Jog, mal einen längeren Radausflug. Ist der Sommer ein heißer, baut man einen Schwimmausflug ein. Oder eine längere Skatingtour. Oder während einer Champions-League-Partie am Ergometer strampeln. Die koordinative Einheit kann auf einen Tag mit Zeitnot fallen: Auf den Skates ein paar Figuren oder Sprünge probieren, in einem schönen Park etwas Lauf-ABC üben, ein Tennismatch mit Freunden und so weiter. Fehlt also noch eine Kräftigungseinheit: bei lockerem Auslaufen in einem Park auf Bänke springen, Liegestütze im Gras, auf einer Fitnessmeile ein paar Klimmzüge oder während der Nachrichten etwas Hanteltraining ...

Unser Körper braucht also Abwechslung. Wer täglich im gleichen Tempo die gleiche Zeit lang um die immer gleichen Häuserblocks rennt, wird bald Fadesse diagnostizieren. Und diese Runden immer weniger oft und mit immer weniger Freude in Angriff nehmen. Schauen wir uns noch mal kurz an, was der Körper alles braucht.

**Ausdauer.** Ist bekanntlich die Grundlage aller sportlichen Betätigung, Hobbysportler sollten 70 Prozent ihres Bewegungspensums dafür reservieren. Laufen, Radeln, Schwimmen, Skaten, Langlaufen sind die wichtigsten davon. Eine Einheit pro Woche sollte immer eine längere sein. Klar, dass dies die Ausdauer betrifft. Ideal sind eineinhalb Stunden (für Geübtere natürlich mehr) laufen oder langlaufen, zwei bis drei Stunden radeln usw.

**Kraft.** Dabei ist vor allem die Kräftigung der Rumpfmuskulatur gemeint. Sonst lädiert man sich die Wirbelsäule, die nicht nur im Büro, sondern auch bei vielen Funsportarten belastet wird (egal ob Volleyball, Squash, Tennis).

**Koordination.** Das ist die am meisten vernachlässigte Komponente. Lauffreaks rennen immerzu geradeaus und haben oft Schwierigkeiten, einem Hund auf der Strecke auszuweichen. Zusätzlich verschlampt der Laufstil. Eingefleischte Radler sitzen auch meist nur auf ihrem teuren Untersatz (Franz Stocher, Gerrit Glomser & Co machen das zwar auch, aber oft gibt's halt doch einen Unterschied zwischen Profi und Amateur). Für einen Hobbysportler ist auf alle Fälle Abwechslung zu empfehlen. Man will ja nicht unbedingt ständig neue Rekorde aufstellen.

**Suchtfrage.** Wenn du so ein Typ bist, der ständig neue Bestzeiten aufstellen will, solltest du dich fragen, warum du das willst. Hast du vielleicht ein Problem mit der Anerkennung? Schließlich sind wir alle dem Selbstbestätigungskampf ausgeliefert – aber muss das unbedingt im Sport geschehen?

# High Tech für Hobbyisten

**Wer Sport betreibt, kommt um Ausrüstungsfragen nicht umhin. Besonders gut aufgehoben ist man beim weltweiten Marktführer adidas.**

Wer ein Auto kauft, kauft High Tech. Selbst in Kleinwagen brummen mitunter „runtergebrochene" Formel-1-Motoren. Oder ein Getriebe, das zuvor bei der Schwedenrallye erprobt wurde. Oder mit einer bei der Tourenwagen-Meisterschaft getesteten Radaufhängung. Ähnlich läuft es bei der Ausrüstung für Sportler. Was an David Beckham, Christian Hoffmann & Co getestet wird, kommt schließlich dem „End-User", also Otto Normalsportler zugute. Und es wird viel getestet und geforscht in den Entwicklungsabteilungen.

**Wandlung.** Was hat sich verändert? Die zwei wichtigsten Details betreffen einerseits das Schuhwerk und als Zweites die Materialien der Bekleidung. Angesport vom Laufboom kurz vor der Jahrtausendwende, hat sich die Sportartikelindustrie in Forschungsarbeit gestürzt und

**Laufen ist die Grundsportart schlechthin. Die Evolution hat uns vor Jahrtausenden zu Läufern gemacht.**

völlig neuartige Materialien kreiert. War eine Jogginghose früher aus Baumwolle, sind jetzt Kunstfasern angesagt. Und was noch vor einigen Jahren lose an den Beinen flatterte, liegt jetzt eng an – eine zweite Haut ziehen wir uns beim Sport meist drüber.

**Physik.** Das hat einfache, physikalische Gründe. Beim Sporteln schwitzt man. Baumwolle saugt den Schweiß auf und gibt ihn nur sehr langsam an die Umwelt weiter. Ein Baumwoll-T-Shirt kann locker einen Liter Schweiß aufsaugen. Den schleppt man dann einerseits mit sich herum, und andererseits ergibt sich ein für die Gesundheit sehr gefährliches, physikalisches Phänomen: die Verdunstungskälte. Bei der Verdunstung kühlt der Schweiß im T-Shirt ab und kühlt somit auch den Körper. Nicht selten leiden Lauf- und Sportanfänger unter rätselhaften Rückenschmerzen. Weil sie nicht wissen, dass es spezielle Sportbekleidung gibt und mit Baumwollklamotten unterwegs sind. Und dann sammelt sich der Schweiß – wiederum aus physikalischen Gründen – vor allem in der Kreuzgegend. Sie verkühlen sich die Rückenmuskulatur. Und wie wir eingangs gelesen haben, ist jeder Muskel mittels einer Sehne an irgendeinem Knochen angewachsen. Auch jeder Rückenmuskel ist so an einem Wirbel „befestigt". Und genau daher rühren dann die Kreuzschmerzen. Die Reaktion ist nicht selten diese: „Des Laufen is net meins, des geht aufs Kreuz." Und beenden ihr Bewegungsprogramm sofort wieder.

**Kapillarwirkung.** Bei der Entwicklung der neuen Sportkleider machte man sich also Gedanken, wie die Feuchtigkeit am besten weitergeleitet wird. Die Rechnung ist eine recht einfache: Je mehr Oberfläche, umso größer das Verdunstungspotenzial. Der beste Weg ist immer noch das „Abkupfern" von der Natur. Die größere Oberfläche schafft man, indem man die Kunstfasern ziemlich raffiniert webt. Und gleichzeitig einen Kapillareffekt erzeugt. Kapillare kann man vereinfacht als ganz feine Röhrchen bezeichnen. Sie haben es aber in sich: Durch sie wird eben der Schweiß vom Köper an die Außenluft transportiert. Und am besten funktioniert der Effekt, wenn die Kleidung hauteng anliegt. Denn wenn Luft zwischen Haut und Körper ist, kann nix transportiert werden.

**Ganzkörper.** Was viele Hobbysportler noch übersehen, ist, dass der ganze Körper mit dieser zweiten Haut („atmungsaktiv" nennt man die Funktionswäsche völlig richtig) durchgehend aus Kunstfasern besteht. Wer eine Baumwollunterhose oder ein Baumwollunterhemd unter der atmungsaktiven Jacke trägt, kann sich diese gleich sparen. Wobei sich die Investition in Markenprodukte wie eben adidas allemal lohnt: „Manche Kleidungsstücke verwende ich schon seit Jahren, die werden einfach nicht alt", schildert Ausdauerexperte Alois Stadlober.

## Physik & Natur

### KÖRPERKLIMA

„Anatomically Placed" (AP) steht bei adidas für funktionellen Klimaschutz. Die Sportkleider dürfen unter keinen Umständen die Bewegungsfreiheit einschränken, sie sollen kühlen, wenn Kühlung notwendig ist, und wärmen, wenn's kalt ist. Und die Luft muss zirkulieren können. Diese wichtige Funktion wird bei adidas durch „AP Ventilation" sichergestellt.

## ADIPRENE & CO

Bei adidas gibt es seit Jahren natürlich jedes Modell für Damen und Herren. Einst hatte man als Frau einfach kleinere Herrenexemplare gekauft, bei adidas erkannte man sehr früh, dass die Füße der Frauen eben anders „konstruiert" sind, also werden die Schuhe entsprechend angepasst. Empfehlenswert sind auch Schuhe mit Vorfußdämpfung, (adiPRENE+) sowie eine mediale Mittelfußunterstützung, vor allem bei starker Pronation.

**Schuhwerk.** Die zweite große Innovation betrifft das Schuhwerk: Egal ob Laufschuhe, Fußball-, Hallen- oder Tennisschuhe, die Dämpfungstechnik hat sich derart weiterentwickelt, dass wirklich für jeden Fuß ein passender Schuh in den Regalen zu finden ist. Allerdings sollte man auf eine fachmännische Beratung nicht verzichten. Ideal ist, wenn der Fachhändler „Footscan", eine patentierte Marke von adidas, verwendet. Das ist eine Kraftmessplatte (siehe Foto rechts), welche die dynamischen Kraftabläufe bei der Laufbewegung misst und in einen Rechner einspeist. Aufgrund dieser haargenauen Analyse kann dann das individuell beste Modell ausgesucht werden. Die meisten Menschen „pronieren", setzen den Fuß zuerst außen auf – ein angeborener Vorgang. Wer das extrem macht, gehört zu den „Überpronierern", braucht also einen Schuh mit speziellen, stabilisierenden Elementen. All diese „Spielereien" sind freilich nicht Selbstzweck, sondern eine Anpassung an die Anatomie der Hobbysportler.

# Maßgeschneiderter Fuß

David Beckham, Maurice Greene, Haile Gebrselassie, Alois Stadlober und auch viele Hobbyläufer rennen schon mit maßgeschneidertem Schuhwerk über Fußballplätze, Laufbahnen oder Waldwege. Dass nicht jeder Schuh zu jedem Fuß passt, liegt auf der Hand ... Die Idee, Schuhe dem Fuß exakt anzupassen, hatte schon adidas-Gründer Adi Dassler. Nach vielen Gesprächen und Tests mit Profisportlern wurde die Idee Ende der 90er Jahre auf den Freizeitbereich ausgeweitet.

**Die Schritte.** Und so funktioniert's: Um den Fuß genau zu vermessen, wurde zu „Footscan" auch noch ein statisches Messgerät entwickelt. Länge, Breite und Druckverteilung beim Aufsetzen des Läufers werden mittels einer eigens entwickelten Software gespeichert. Ein „Fitting"-Experte analysiert die Daten. Stehen Passform und Funktion fest, wird das Design ausgesucht. Auch hier ist der Kunde nicht nur König, sondern Kaiser. Farben, Materialien und sogar persönliche Stickmotive fließen ein. Die Entwicklung des Schuhs kann auf dem Laptop live mitverfolgt werden. Dann dauert es nur noch drei Wochen, bis der Schuh ins Haus flattert.

**Vorlauf.** In ganz Europa wurden quasi Testläufe absolviert, seit dem Berlin-Marathon 2003 ist auch das Top-Running-Modell „a3" mit dieser Technologie erhältlich. Auch Handballer und Tennisspieler vertrauen mittlerweile weltweit auf dieses maßgeschneiderte Schuhwerk. Alois Stadlober, seit der Langlauf-WM 1999 in der Ramsau einer unserer Nationalhelden und immer noch ein sehr schneller Marathonläufer, ist von dieser Innovation restlos begeistert: „Das ist eine tolle Innovation von adidas." Grundsätzlich empfiehlt Alois, „beim Schuhwerk nicht zu sparen, denn für einen Sportler sind die Füße einfach das wichtigste Werkzeug". Und zwei Paar sollte man immer abwechselnd in Verwendung haben.

**Bei „mi adidas" wird der Fuß zuerst vermessen, dann analysiert – und dann der maßgeschneiderte Schuh gebaut.**

**Die Person:** Als Weltmeister kann man leicht cool sein.

**Seite 44**

**Das Ziel:** 2008 geht es in der „zweiten Heimat" um Olympiagold.

**Seite 46**

**Das Training:** Der Tagesablauf dreht sich natürlich hauptsächlich um Tischtennis – und alles, was dazugehört.

**Seite 51**

# Werner Schlager, Tischtennis

# Perfektion ist Illusion

**„An einem guten Tag kann ich alle schlagen – aber eben nicht alle Tage." Weltmeister sind eben Realisten.**

## PERSÖNLICHE DATEN

**Name:** Werner Schlager
**Geb.:** 28. 9. 1972
**In:** Wiener Neustadt
**Wohnhaft:** Wr. Neustadt
**Fam.-Stand:** Geschieden
**Kinder:** Keine
**Hobbys:** Computer, Hardware
**Lieblingsbuch/Autor:** „Lexikon der populärsten Ernährungsirrtümer", Udo Pollmer, Piper
**Lieblingsfilm:** „Matrix"
**Lebensmotto:** Leben und leben lassen
**Nach der Profikarriere:** Eventuell Computerbranche, steht aber noch in den Sternen
**Fanpost-E-Mail:** wschlager@yahoo.de
**Homepage:** www.schlager.at (zu Jahresende)

Tischtennis (TT) ist eine verrückte Sportart: Eigentlich hat jeder von uns schon mal einen Tischtennisschläger in der Hand gehabt, als Leistungssport ist TT bei uns aber noch nicht anerkannt. Werner Schlagers Trainer beispielsweise verdient Netto grad mal 2.000 Euro, während ein Fußballtrainer, wird er wegen chronischer Erfolglosigkeit gefeuert, mit einer Millionenabfertigung (in Euro) rechnen kann.

**Umfeld.** Werner erhält natürlich laufend Angebote aus dem Ausland, als „Legionär" in einem Verein zu spielen. „Ich bleibe in Österreich, ich brauche einfach ein familiäres Umfeld, ein väterlich-freundschaftliches Verhältnis zu meinem Trainer." Einen Vertrag gibt's nur für Gastspiele.

**Gschichtln.** Werner Schlager machte schon vor 10 Jahren auf sich aufmerksam. Ein Länderkampf gegen China endete nicht 0:5, sondern überraschenderweise „nur" 1:4. Schlager hatte erstmals zugeschlagen. Das war in Österreichs Medien nur eine Randbemerkung wert. In der Branche sorgte das aber für großes Aufsehen. Weltweit.

**Verband.** Werners Vater Rudolf wird gerne als „Rebell" dargestellt, er ist eher ein Taktiker. Wenn Verbandsleute Werner eine „etwas seltsame Technik und antiquierte Handhaltung" attestierten, störte ihn das nicht. Er konnte Sturheit und Verbandsfrieden ganz gut vereinen. Von der Verbandsseite streut man den Schlagers jedenfalls Rosen: „Rudolf Schlager war nicht so was wie eine Eislaufmutter, sondern einfach ein positiver Fanatiker." Folge: mit 15 Jahren Bronze bei der Junioren-EM zusammen mit Spezi Karl Jindrak. In der Schülerklasse. Schauplatz war übrigens Athen ...

KARRIERE

**Warum gerade diese Sportart?**

In der Kindheit und im Jugendalter war Werner ein sehr guter Fußballer, ein äußerst schneller Flügelflitzer. „Das war wohl mein Fehler, denn ich war eigentlich nur durch Fouls zu stoppen." Das taten dann die Gegenspieler auch oft und gerne, „irgendwann hatte ich dann genug". Wer lässt sich schon gerne die Beine kaputt machen. Und weil Werners Vater einer der größten Tischtennisfreaks des Landes war, ergab sich auch Werners Weg. Mit Bruder Harald als Sparringpartner pushte er sich bald zur österreichischen Spitze vor. Detail: „Ein Arzt sagte mir sogar, dass ich mit der relativ extremen O-Stellung meiner Beine nicht lange Leistungssport betreiben würde können." Noch immer tragen sie ihn flink und problemlos.

**Die größten Erfolge:**

Paris, 2003: Werner Schlager wird, erstmals seit Jan Ove Waldner 1997, als Europäer Tischtennisweltmeister. Nun ist er „Nationalheld" in Frankreich und der populärste ausländische Sportler in China. Salzburg, Oktober 2003: Erstmals seit Polster und Muster „Sportler des Jahres" – als Nichtschifahrer.

**Enttäuschungen:**

Das war die Weltmeisterschaft 1999 in Eindhoven: „Im Doppel vergaben wir den Einzug ins Halbfinale, indem wir nicht weniger als 9 Matchbälle vergaben." Gleichzeitig war Eindhoven mit Bronze im Einzel der erste Vorstoß an die Weltspitze.

# Elf Monate Wettkampfsaison

**Ganz schön hart, das Tischtennisgeschäft. Mehr als drei Wochen Pause sind nicht drin. Pro Jahr.**

„Man muss immer frisch und spritzig sein, sonst wird man schlampig im Training“, plaudert Werner Schlager aus der Tischtennisschule, als wir uns in Stockerau treffen. Daher ist sein Training mit dem in den meisten anderen Sportarten nicht zu vergleichen (siehe Kasten rechts). Auf alle Fälle aber Punkto Aufwand: Am Morgen geht's zur Standeskontrolle in das Leistungszentrum II des Bundesheeres, dann zum Training nach Stockerau. Und zwar den ganzen langen Tag über. Etwas Kraft, etwas Koordination. Nach der Mittagspause steht spezifisches Training auf dem Programm. Es gibt immer etwas zu verbessern, daran wird zwar nicht verbissen, aber doch zielstrebig gearbeitet.

**Scharfer Blick.** Außerdem braucht man ein gutes Auge. Denn wer frühzeitig erkennt, was der Gegner macht, der hat schon fast gewonnen. Eben nur fast, weil der Gegner selbiges übt. Es gewinnt der, wer grad besser drauf ist, die besseren Varianten parat hat, den Gegner überrumpeln kann. Man kennt sich schließlich von vielen Turnieren.

**Druck.** Verspürt man jetzt als Weltmeister besonderen Druck? „Nö, im Gegenteil. Ich habe alles erreicht. Was jetzt noch kommt, ist reine Zugabe. Ich bin niemandem Rechenschaft schuldig, ganz allein mir selber. Mein WM-Titel ist so oder so in die Geschichte eingegangen.“ Dennoch: Werner will bis Peking 2008 weitermachen. Außerdem: „Ich bin noch lange nicht satt“, versichert er.

**Gefühl.** Was ist das eigentlich für ein Gefühl, Weltmeister zu sein? Werner: „Das klingt jetzt abgedroschen, aber es hat tatsächlich eine Zeit gedauert, das zu realisieren. Dieses Gefühl entwickelt sich erst im Laufe von Wochen.

**TERMINKALENDER**

Die Wettkampfsaison beginnt im September und endet im August. Praktisch jedes Wochenende steigt ein Wettkampf – mit dem SVS Niederösterreich sind die nationale Meisterschaft, die Superliga und die Champions League zu bestreiten. Erreicht man in der CL das Semifinale, steht auch noch die WM für Clubmannschaften an. Als „Einzelkämpfer“ bestreitet Werner die Pro-Tour, den Weltcup und die Euro Top 12. Dazu kommen alle zwei Jahre WM und eine EM (solo), ebenfalls alle zwei Jahre gibt's „Nationalteam“-WM und -EM. Mit der Nationalmannschaft steht schließlich noch die Europaliga an.

## KÖRPERLICHES UND TRAINING

**Ruhepuls:** „Nicht so wichtig."
**Maximalpuls:** Ebenfalls
**Anatomische Vorteile, Handicaps:** Große Beweglichkeit in der Hüfte. „Ein vollständiger Spieler darf sowieso keine Nachteile haben."
**Training:** Ein Tischtennisspieler darf weder extrem Ausdauer noch extrem Kraft trainieren (zumindest bringt's nix). Er muss immer locker sein. Viel Tüftelei gehört der Technik, wobei lange Spielpraxis natürlich ein Riesenvorteil ist. Unter der Woche (das sind jeweils die einzigen Wettkampfpausen) wird allfälliges Verbesserungspotenzial bearbeitet. Dann stehen „regelmäßige Übungen", „halbregelmäßige Übungen" und „wettkampfspezifische Übungen" auf dem Programm. Wer sich speziell dafür interessiert, findet auf „www.oettv.org" einige Animationen dazu. Ja, und dazu noch regelmäßiges Ausdauertraining.
**Periodisierung:** Ist wegen des dichten Terminkalenders kaum möglich – weil's jede Woche ein Turnier gibt.
**Mentale Tricks:** Nicht aus der Ruhe bringen lassen! „Wenn ich an einem Finaltag in der Früh aufwache, kann es sein, dass ich mich fast nicht rühren kann." Lockerungsübungen – und ab ins Finale.
**Ausgleich:** Fußball, Radeln, Kino, Computerei.
**Ernährung:** Einfach essen, worauf man Gusto hat, „aber in Maßen". (Beim Interview im Stockerauer Trainingszentrum waren es Fleischlaberln mit Kartoffelpüree.)

# Mit dem Rücken zur Wand

Man geht in Gedanken oft die ganzen Weltmeister durch und denkt sich dann: Super, dass ich das auch bin." In der modernen Zeit des Tischtennis ist Werner der Erste nach dem legendären Schweden Jan Ove Waldner, der 1989 und 1997 Weltmeister wurde, 1992 Olympiasieger und serienweise Europameister, der der chinesischen Phalanx trotzen konnte. Sonst gibt es keine „Weißen", welche dieser Übermacht langfristig Paroli bieten konnten.

**Neue Regeln.** Wer so lange im Geschäft ist, muss sich immer wieder auf neue Regeln und auf neues Material einstellen. So ging früher ein Satz über 21 Punkte, jetzt sind es nur noch 11. „Da ist es sehr schwer, den Gegner auszuloten." Dafür geht es jetzt über jeweils vier gewonnene Sätze, „wobei 4:0-Siege selten vorkommen". Weil eben alles viel zu schnell geht, ein Rückstand von ein paar Punkten innerhalb eines Satzes schwerer aufzuholen ist. Auch der Ball ist größer geworden, von 38 mm Umfang auf 40 mm. Veränderungen gab es zusätzlich bei den Noppenaußenbelägen der Schläger (Handicap für Defensivspieler). Die (zu glatten) Tische für das olympische Turnier in Athen waren zu Redaktionsschluss noch nicht

**„Wie macht er das nur, der Schlagel", fragen sich die chinesischen Mitbewerber immer wieder. Eines der Geheimnisse: „Ein familiäres Umfeld beim täglichen Training, also ein freundschaftliches Verhältnis mit dem Trainer und den Mannschaftskollegen im Club und im Nationalteam."**

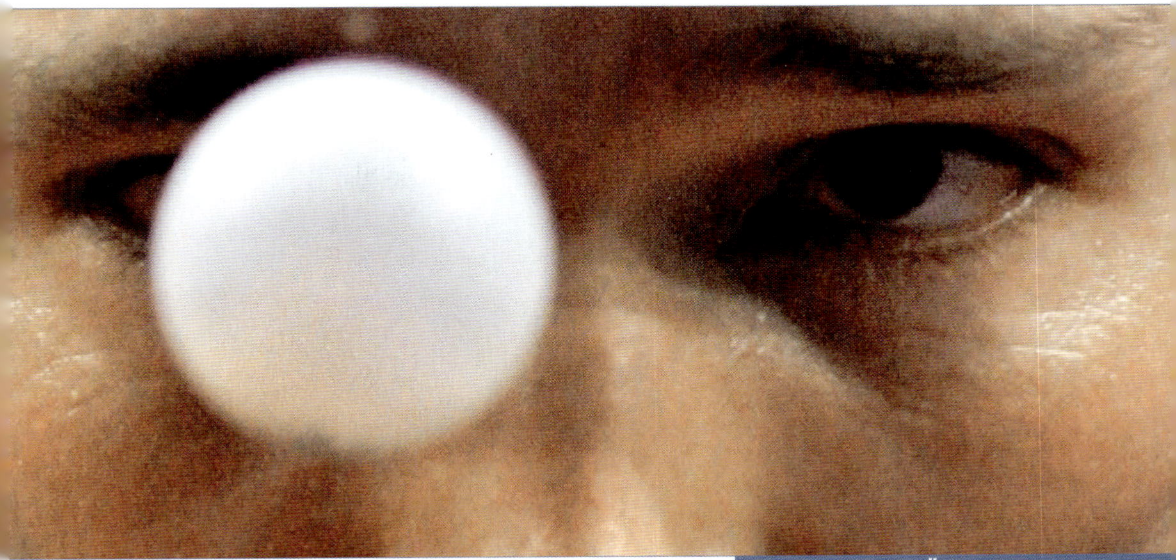

festgelegt (beim Probeturnier im Jänner gab es ziemlich viel Aufregung um den Belag der Tische).

**Typen.** Es gibt zwei Grundtypen: Angreifer und Verteidiger. Wegen der erwähnten Belagsänderung sind reine Verteidiger auf Weltniveau praktisch chancenlos. Es entstanden sozusagen „Mischtypen". „Man muss äußerst flexibel sein, das Service variieren können und vor allem den Gegner lesen." Das erfordert Erfahrung und Konzentration. Und wie ist das jetzt, kopieren die anderen Spieler den Weltmeister, gibt es irgendwelche „Trends", wie etwa die Carvingtechnik von Kostelic oder Hosp? Werner: „Nein, Tischtennis ist einfach zu komplex, es sind

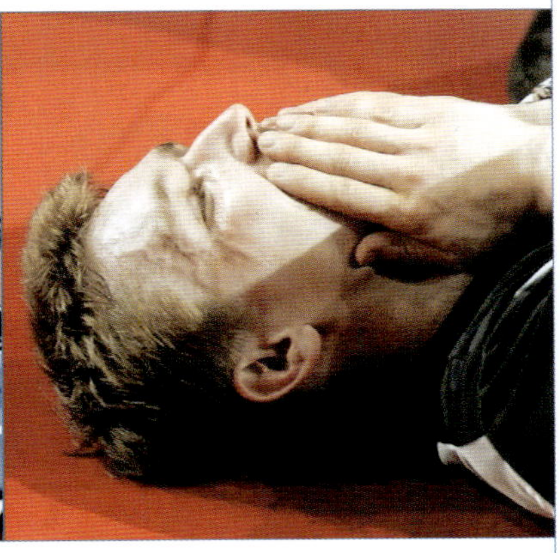

## ZUR MENTALITÄT

Wenn einer auszieht, um die Welt des Tischtennis gegen einige übermächtige Nationen zu erobern, dann muss er ein „Spinner" sein, ist man geneigt zu denken. Das mag im Fall Werner Schlager ein wenig zutreffen, vor allem sein Vater war ein „positiver Spinner", ein Besessener, ein Visionär. Er baute den Dachboden zu einem Trainingszentrum um, inklusive selbst gebasteltem Tischtennistisch. Mit verkürzten Beinen, weil Werner ja noch zu klein war für einen „richtigen" Tisch. „Die Girardellis" des Tischtennis hört man oft – ist aber bloß ein Klischee. Schlager ist Schlager, nicht Girardelli oder Maier. Vielleicht schöpft der Rest der Nation ja bloß sein Potenzial nicht aus.

**Nicht jeder Österreicher darf von einer Briefmarke lächeln. Und schon gar nicht mit chinesischem Textanteil.**

oft winzige Kleinigkeiten, die über Sieg oder Niederlage entscheiden."

**Viel Ehr.** Werner ist ein absoluter Medienprofi geworden. Attestierten ihm deutsche Kollegen anlässlich seines Pariser WM-Coups noch Arroganz („Ein Gfrast als Weltmeister", titelte auch ein heimisches Magazin), hat er dieses (zutiefst falsche) Image gründlich ausgebügelt. Immer freundlich lächelt er in TV-Kameras, für jeden Schmäh zu haben. Er wurde überlegen zum „Sportler des Jahres 2003" gekürt, und alle, wirklich alle, freuten sich mit ihm.

**Verein.** Übrigens: Schlagers Verein nennt sich „SVS Niederösterreich" und stellt eine Spielgemeinschaft von Schwechat und Wolkersdorf dar. Die Spiele finden in Wolkersdorf statt, trainiert wird in Stockerau, mit dem „väterlichen Freund" Ferenc Karsai, der Werner samt Nationalteam 1995 übernahm und einen nicht unwesentlichen Anteil am Höhenflug hat. „Ihm könnte ich sogar blind vertrauen – wenn es nötig wäre."

## TIPPS FÜR HOBBYSPORTLER

**Training:** „Hört auf die Signale des Körpers. Ein Profi muss oft eine Zeit lang weitermachen, weil ja seine Existenz von seinem Sport abhängt. Du als Hobbysportler kannst dir getrost rechtzeitig eine Pause gönnen. Ich habe mehrere Monate lang mit meiner Zehe gehadert. Freiwillig hätte ich dem Körper eine so lange Pause wohl nicht gegönnt. Aber auch ich machte dann leider den Fehler, viel zu früh wieder mit dem Training zu beginnen."

**Meine besten Technik-Tipps:** Da reicht hier leider der Platz nicht. Auf www.oettv.org gibt es aber einige Tipps für das Training.

**Was du von Werner Schlager lernen kannst:** Tischtennis ist natürlich eine untypische Sportart für dieses Buch im Vergleich zu Laufen, Radeln, Langlaufen etc. Wir Hobbysportler spielen Tischtennis ja nicht der Gesundheit wegen, sondern um Spaß zu haben (Tischtennis ist freilich nicht ungesund, aber keine typische „Herz-Kreislauf-Sportart"). Man kann von Werner Schlager dennoch einiges lernen: Dass man auch als Vertreter des „kleinen Österreich", in dem nur eine Hand voll Leute diese Sportart leistungsmäßig betreibt, zur Weltspitze gelangen kann. Es ist schließlich nur eine Frage der Einstellung. Und Werner Schlager hat die richtige Einstellung. Hätte er die Denke, dass „ich als Österreicher gegen die übermächtigen Chinesen nie eine Chance habe, weil in China Tischtennis Volkssport ist und die Auswahl und Betreuung der Talente viel besser ist", dann wäre Werner nie und nimmer Weltmeister geworden. Und das sollte jungen Talenten aus anderen Sportarten, wie etwa der Leichtathletik, ein wichtiger Hinweis sein. Und auch jungen Fußballern, wie das Beispiel Holland zeigt. Die haben ja auch nicht viel mehr Einwohner als Österreich, aber wesentlich mehr Fußballer mit Weltklasseniveau.

**Mentale Stärke:** Womit wir schon wieder beim Kopf sind: „Was ich mir nicht zutraue, werde ich auch nie erreichen", ist eine alte Weisheit. Werner Schlager weiß, dass er der Beste sein kann. Nicht jeden Tag, aber vor allem dann, wenn es drauf ankommt. Wie bei einer WM. Oder bei Olympia in Athen.

922

# Ausdauer

## ist die halbe Miete

**Eigentlich viel mehr – wer eine gute Ausdauer, man kann auch sagen „Kondition“ hat, der deckt auf alle Fälle alle Fixkosten ab. Und was dann noch anfällt, kann für Luxusartikel ausgegeben werden.**

# Einen ziemlich langen Atem ...

**... braucht man für das Leben. Ausdauersport hilft dabei. Man muss ja nicht gleich zum Extremisten werden.**

**In Paris (Bild), New York, Berlin und London üben sich jedes Jahr jeweils 40.000 Leute im Ausdauersport.**

Gleich vorweg: Die Trainingsumfänge, welche die folgenden sieben Sportler absolvieren, sind für Otto Normalsportler natürlich nicht machbar. Es sind also die Proportionen zu beachten. Man sollte das Augenmerk viel mehr auf andere Dinge lenken:

**Koordination.** Wer viel Ausdauersport macht, neigt dazu, seine koordinativen Fähigkeiten brachliegen zu lassen – wenn sie nicht gar völlig verkümmern. Wenn man bedenkt, dass ein guter Pianist mit der rechten Hand mehr als 30 verschiedene Töne pro Sekunde fabrizieren kann, während er mit der linken auch noch einen vierstimmigen Akkord anschlägt, kann sich kaum vorstellen, dass viele Menschen es nicht schaffen, mit den Armen gegenläufige Kreise zu zeichnen (schon mal probiert?). Oder auf der Laufstrecke einem Hund auszuweichen.

**Tempo.** Dass viele Hobby-Ausdauersportler viel zu schnell unterwegs sind, kann man nicht oft genug bekritteln. Wenn man bedenkt, dass Franz Stocher und Gerrit Glomser fähig sind, bei Zwischen- oder Endspurts 60 km/h schnell zu fahren, bei längeren Ausfahrten sich aber mit runden 30 km/h begnügen, kann man ermessen, dass wir Hobbysportler uns gern im Training schon „verpulvern".

**Umfänge.** Auch vor Umfangs-Sprüngen sei hier ausdrücklich gewarnt: Packt einen unvermutet der Ehrgeiz, muss man sich bewusst bremsen – eine Faustregel: Umfänge pro Woche nicht um mehr als 10 Prozent steigern. Sonst gibt es garantiert Probleme mit Muskeln und vor allem Sehnen. Die sollten dich ja noch länger vorwärts bringen.

**Die Person:** Auch im Geschäftsleben ist er dem Sport engstens verbunden.
Seite 56

**Das Training:** Weil der Marathon ruft, gibt's schwerpunktmäßig immer noch Intensivtraining.
Seite 58

**Dein Nutzen:** Von einem „alten Fuchs" kannst du dir ruhig einiges abkupfern.
Seite 61

# Alois Stadlober, Hobbyläufer

# Einen ziemlich langen Atem

**Über 200.000 Kilometer hat Dr. Alois Stadlober bereits zu Fuß zurückgelegt. Und er rennt immer noch.**

## PERSÖNLICHE DATEN

**Name:** Dr. Alois Stadlober
**Geb.:** 11. 4. 1962
**In:** Judenburg
**Wohnhaft:** Radstadt
**Fam.-Stand:** Verheiratet mit Slalom-Gesamtweltcupsiegerin Roswitha (geb. Steiner)
**Kinder:** Louis und Teresa
**Hobbys:** Sport
**Lieblingsbuch:** Nix Spezielles. Krimis, Thriller
**Lieblingsfilm:** „Ein Offizier und Gentleman"
**Lebensmotto:** Immer ein Ziel vor Augen haben!
**Nach der Profikarriere:** Schon geschehen: nordischer Sportkoordinator des Landes Steiermark, Office: Ramsau
**Fanpost-E-Mail:** ramsau.nordic@netway.at
**Homepage:** www.ramsausport.com

Welcher sportbegeisterte Österreicher kennt ihn nicht, den überaus sympathischen Steirer mit aktuellem Wohnsitz Radstadt? Legendär war nicht nur der Mannschaftsweltmeistertitel im Langlauf – auch sein Auftritt beim Wien-Marathon wird vielen wohl immer in Erinnerung bleiben.

**Manager.** Jetzt ist der gelernte Jurist als Sportmanager in der Ramsau tätig. „Sportbeauftragter des Landes Steiermark" ist die offizielle Berufsbezeichnung, ab und zu betätigt er sich auch als Fernseh-Co-Kommentator bei Langlaufweltcups und bei den nordischen Kombinierern.

**Sportiv.** Wenn er nicht selber gerade bei einem Volkslauf dabei ist. Was ziemlich oft der Fall ist. Im Winter weiterhin auf der Loipe, in der warmen Jahreszeit ist der Marathon seine neue Leidenschaft geworden.

**„Zu-Fuß-Läufer".** Witzig ist seine Unterscheidung zwischen den Laufsportarten. „Im Winter laufe ich mit Schiern, im Sommer zu Fuß", lässt er beim Interview so nebenbei fallen. So tief verwurzelt kann Wintersport sein. Im Übrigen hält er eine rekordverdächtige Marke. Auf die Frage, wie viel Kilometer er schon zurückgelegt habe, überlegt er kurz und meint: „Auf alle Fälle mehr als 200.000 Kilometer." Dabei sind Rad- und Schikilometer schon auf das „Zu-Fuß-Laufen" umgerechnet. Gäbe es „Bonusmeilen" dafür, könnte Alois wohl eine Weile gratis fliegen.

**Hobbyläufer.** Wie sich Alois die bis zu 160 Wochenkilometer einteilt, ist auf den nächsten Seiten zu lesen. Aber Achtung: Dieses Pensum schafft nur, wer derart viele „Lebenskilometer" in sich hat!

KARRIERE

**Warum gerade diese Sportart?**
„Ich kam über eine Schulsport-Aktion zum Langlauf. Damals – in den 70er Jahren – gab es einen richtigen Langlaufboom in Österreich. Und das hat sich dann, als Markus Gandler und ich in das Wettkampfalter kamen, ausgewirkt. Dann kamen auch noch Christian Hoffmann und Michael Botwinov dazu, also hatten wir für die Ramsau 1999 ein ideal harmonierendes Team."

**Die größten Erfolge:**
Mannschaftsweltmeister 1999 in der Ramsau und Silber im Einzel über 10 km klassisch. Noch dazu perfekt getimt: Exakt zum Karriereende kamen die lang ersehnten Erfolge. Zuvor gab es 36 österreichische Meistertitel. Mittlerweile ist „Luigi", wie ihn die Freunde rufen, Hobby-Marathonläufer. Allerdings immer noch mit einem wettkampfmäßigen Fokus. Und mit seiner Bestzeit von unter 2:30 Stunden gehört er in Österreich zu jener Gruppe, die, mit Respektabstand zu Michael Buchleitner, um die Stockerlplätze bei Marathonmeisterschaften ringen.

**Die größte Enttäuschung:**
Das war Nagano 1998. „Erstmals hatten wir Österreicher reelle Medaillenchancen. Hoffi (Bronze) und Markus ‚Gandi' Gandler (Silber) haben sie auch wahrgenommen, ich war kurz davor erkrankt, hatte nicht die nötige Kraft. Dabei wäre Edelmetall allemal drinnen gewesen." Darüber können auch die fünf Olympiateilnahmen nicht hinwegtrösten.

# Im Wandel der Methoden

**Alois Stadlober hat den Wandel der Trainingsmethoden voll mitgemacht. Mit großem Erfolg.**

**Zweimal im Jahr ruft der Marathon – leistungsorientiert.**

Bevor das „Unternehmen Ramsau" (siehe auch Christian Hoffmann) im ÖSV gestartet wurde, da hat Alois Stadlober regelmäßig Folgendes miterlebt: „Wir gaben im Sommer ordentlich Gas beim Training. Wenn die Skandinavier auf den Dachsteiner Gletscher kamen, da hatten sie keine Chance gegen uns." Wenn dann die Weltcupsaison begann, waren Gandler, Stadlober & Co allerdings bereits ausgelaugt. Es war das immer noch weit verbreitete Trainingsmotto verfolgt worden: „Wer am nächsten Tag nix spürt, hat net gscheit trainiert." Ein Grund, warum die Langläufer lange Zeit hintennach liefen. Als man dann auf eine längere Ausdauer-Periode während der Sommermonate setzte, kam auch der Erfolg.

**Marathon.** Inzwischen hat sich Alois einen Namen als Marathonläufer gemacht. Aber auch hier war eine Lernphase nötig: „Ich bin's die ersten paar Mal viel zu schnell angegangen – und gegen Ende dann eingegangen." Aber im Training, da geht er behutsam mit sich um. Beispiel Long Jog: Den ersten davon rennt er mindestens 12 Wochen vor dem Marathon. Und da lässt er sich für 36 Kilometer ganze drei Stunden Zeit! Das entspricht einem Kilometerschnitt von 5:00, obwohl er ein Marathontempo von 3:30 schafft. Extrem langsam also, was aber gut ist für die Ausbildung des Fettstoffwechsels. Und für die Grundlagenausdauer.

**Beruf & Laufen.** In dieser intensiven Vorbereitungsperiode rennt der Herr Sportkoordinator bis zu 160 Kilometer in der Woche (unterm Jahr rund 70). Wie geht sich

## KÖRPERLICHES UND TRAINING

**Ruhepuls:** 39
**Maximalpuls:** 180
**Aerobe Schwelle:** 17,5 km/h
**Ausdauer:** 80 Prozent des Trainingsumfanges
**Koordination:** 10 Prozent – „das mach ich beim Langlaufen". Die restlichen 10 Prozent bestehen aus gelegentlichen Tempoläufen, kaum Krafttraining („auch das erledige ich beim Langlaufen").
**Periodisierung:** „Im Winter betreibe ich nach Lust und Laune eben Langlauf, kürzlich habe ich mir aber ein Laufband zugelegt", Denn in der Ramsau und in Radstadt gibt's immer noch ausreichend Schnee, die Laufwege sind eher unpassierbar. „Zu Fuß laufen" – eben nicht auf Schiern – nennt Stadlober das zur eigenen Unterscheidung.
**Zeiteinteilung:** Viele Manager klagen ja darüber, dass neben dem Job kaum Zeit bliebe für körperliches Training. Stadlober: „Da muss man halt flexibel sein. Ich teile mir meine Abendtermine immer für den Montag ein, denn da ist beim Laufen eh Regeneration angesagt." Pro Woche gibt es im Schnitt fünf Laufeinheiten, eine davon ist ein so genannter „Long Jog", also ein langsamer, ruhiger Lauf über zwei bis dreieinhalb Stunden (letztere Dauer kommt in der Marathonvorbereitung zum Einsatz). Ja, und vor einem Marathon gibt's natürlich einen Test-Halbmarathon.

## Neue Liebe Marathon

das aus neben dem Job? „In dieser Zeit ordne ich natürlich alles dem Laufen unter. Mache keine Wochenendtermine, damit ich wirklich Zeit habe für die langen Läufe. Und zur Regeneration." Alois ist mit seinem Körper immer schon behutsam umgegangen – und hat daher trotz der vielen Jahre, in denen er intensiv Leistungssport betrieben hat, keine körperlichen Abnützungserscheinungen. „Gut, ab und zu, wenn man im Training ein bisschen Gas gibt, zwicken ein paar Muskeln, aber das muss man dann halt auskurieren." Ganz von ungefähr kommt die Liebe zum Laufen natürlich nicht. „Das war immer ein zentraler Trainingspunkt im Sommer, zur Ausbildung der Grundlagenausdauer. Und da war ich eben immer einer der besten Läufer."

**Kontakte.** Aber nicht nur bei Marathons kreuzt Alois auf, auch bei vielen anderen Volksläufen, wie etwa bei den in Mode gekommenen „Businessläufen" ist er häufig zu sehen. „Ideal, weil da kann man gleich geschäftliche Kontakte knüpfen und pflegen."

**Familie.** Und da soll noch Zeit bleiben für die Familie? Kein Problem, die ist nämlich hochsportlich. Gattin Roswitha, geborene Steiner, Landtagsabgeordnete in Salzburg, war zweimal Slalom-Gesamtweltcupsiegerin, läuft ebenfalls (Marathonbestzeit 2:58). Und die beiden Kinder Louis (13) und Teresa (11) sind drauf und dran, das Langlaufnachwuchsproblem Österreichs zu lindern.

**Roots.** Von den Langlaufwurzeln wird Alois sowieso sein Lebtag lang nicht wegkommen. Mit Markus Gandler betreibt er eine Firma, welche Seminare und Schulungen anbietet. „Schön wäre, wenn es, wie in unserer Jugend, an den Schulen wieder einmal einen Schwerpunkt für Lang auf gäbe." Und die Geschehnisse im Weltcup verfolgt er auch hautnah, wurde doch Langzeitkumpel Markus Gandler zum Direktor für Langlauf und Biathlon im ÖSV bestellt.

### LAUFSCHULE

In der Ramsau trainieren nicht nur Christian Hoffmann & Co sowie andere Nationalteams: Die Ramsau ist ein „Ganzjahreslaufzentrum" geworden. Im Winter Langlauf, im Sommer kann man auf gut markierten Strecken ausgezeichnet „zu Fuß" laufen, wie „Luigi" gern sagt. „Langlaufen ist die absolut gesündeste Sportart", wird Alois nicht müde, zu predigen, wann immer er Gelegenheit dazu hat. „Aber auch Nordic Walking ist eine hervorragende Alternative, vor allem für Einsteiger und solche, die Gewichtsprobleme haben."

## TIPPS FÜR HOBBYSPORTLER

**Gesundheitscheck:** Unbedingt immer wieder einen Gesundheitscheck machen, besonders, wenn mehrere Jahre keine Bewegung stattgefunden hat.

**Geduld üben:** Die Ziele nicht zu hoch stecken, vor allem Einsteiger sollten nicht krampfhaft nach dem „Endorphinschub" lechzen und nach jedem Lauf auf die Waage hüpfen. Der Körper braucht Zeit. Der Muskelaufbau dauert wesentlich länger als der Abbau.

**Zeitmanagement:** „Ich kann das Jammern vom Zeitmangel schon gar nicht mehr hören. Es gibt viele Leute, die viel arbeiten. Es müssen ja nicht gleich 100 Wochenkilometer sein. Aber man muss auch nicht bei jedem Festl dabei sein, Prioritäten setzen. Schließlich ist Bewegung so wichtig wie Essen und Schlafen."

**Meine Technik-Tipps für Langläufer:** Für Läufer ist der klassische Stil ideal, da wird am ehesten das Laufen imitiert. Und auch für Anfänger, vor allem wenn sie ein paar Kilo zu viel haben, ist der Einsteig mit dem klassischen Stil besser. Denn das Skaten verlangt etwas Grundkondition. Andererseits schadet es nicht, wenn auch andere Muskelgruppen stimuliert werden. „Ideal sind ein paar Trainerstunden, damit nicht eine falsche Technik eingeübt wird." Besonders die (nötige) Gewichtsverlagerung auf ein Bein bedarf etwas Übung.

**Laufstil („zu Fuß"):** Einfach experimentieren, was am wenigsten Kraft kostet. Das „Dahinschlurfen", also die Füße möglichst wenig von der Straße abheben, ist ein Trugschluss: Gerade das Anferserln bringt Schwung. Auch hier: Ein runder Stil bringt am meisten.

**Was du von Alois Stadlober abkupfern kannst:** Die Kombination „zu Fuß Laufen" im Sommer und „Schilanglaufen" im Winter könnte idealer nicht sein. Da gibt's nix Gsünderes. Die Rumpfmuskulatur wird beim Langlauf ideal gekräftigt, in der Folge die Wirbelsäule gestützt. Ist vor allem für Büromenschen ein unglaublich wichtiger Faktor. Und das Dahingleiten auf den Schiern schont die Gelenke. „Kräftigung ohne Belastung", das ist an sich die ideale Form von Gesundheitssport.

**Was du NICHT abkupfern sollst:** Seine Marathontaktik, vorsichtshalber auf dem ersten Halbmarathon einen kleinen Vorsprung herauszulaufen. Auch Alois hat diese Taktik schon ad acta gelegt.

# Mitteilung

## gemäß § 7 Abs. 5 FitnessG

Nach vermehrt aufgetretener Fitness-Steigerung durch Verzehr des Hit-Fit der Bäckerei Der Mann wird gemäß § 7 Abs. 5 FitnessG festgehalten, dass besagtes Wellnessweckerl einen wesentlichen Beitrag zur gesunden Ernährung darstellt. Hit-Fit enthält neben Joghurt einen hohen Anteil an ungesättigten Fettsäuren, viel Calzium, und einen hohen Ballaststoffanteil (Inulin-Bifidobakterien), die wesentlich zu einer aktiven Darmflora beitragen, und ist somit das ideale Gebäck für ernährungs- und fitnessbewusste Feinschmecker. Überdies wurde ein besonderes Knabbererlebnis – verursacht durch die enthaltenen Sonnenblumenkerne, Walnüsse, Kürbiskerne, Leinsamen, Amaranth und Weizenkeime – festgestellt.

Bei Wunsch nach gesunder Ernährung und Steigerung der Fitness wird empfohlen, eine Filiale der Bäckerei Der Mann aufzu suchen, und den Körpe mittels Verzehrs eines knu sprig-frischen Hit-Fit ange messen zu verwöhnen.

Hit-Fit

DerMann
der verwöhnt

Infos unter
www.dermann.a

**Die Person:** Warum Dagmar Rabensteiner Leistungssport allein immer zu wenig war.
**Seite 64**

**Spätstart:** Wie Dagmar ohne spezielles Training den Marathon unter drei Stunden lief.
**Seite 65**

**Training:** Warum es weiterhin keinen Tag ohne Bewegung geben wird.
**Seite 66**

# Dr. Dagmar Rabensteiner, Marathon

# Ein äußerst bewegtes Leben

**Dr. Dagmar Rabensteiner ist die Quirligkeit in Person. Das war von Kindesbeinen an so. Und wird wohl so bleiben.**

### PERSÖNLICHE DATEN

**Name:** Dagmar Rabensteiner
**Geb.:** 13. 6. 1963
**In:** Innsbruck
**Wohnhaft:** Wien
**Fam.-Stand:** Verheiratet mit Peter, Jurist, Unternehmer und Läufer
**Kinder:** Peter, Student und Läufer
**Hobbys:** Laufen, Rennrad, Mountainbiken, Langlaufen, Bergsteigen, Schitouren etc., Reisen, Familie, Medizin
**Lieblingsbuch:** „Der kleine Prinz" (A. de Saint-Exupéry)
**Lieblingsfilm/Regisseur/Darsteller:** Senta Berger
**Lebensmotto:** Mut, das zu machen, wofür man sich begeistert. „Kämpfe für die kleinen Dinge, als wären sie ganz wichtig."
**E-Mail:** dagmar.rabensteiner@aon.at
**Homepage:** www.sportmed.co.at

Über Dr. Dagmar Rabensteiner könnte man ganze Bücher schreiben – aber das hat sie ja eh schon selbst erledigt („Jetzt wird Laufen zum Erlebnis", Verlag Deuticke). Versuchen wir es so: Innsbruck, vor etwas mehr als 30 Jahren: Ein aufgewecktes, quirliges Mädchen wirft die Schultasche in die Ecke und verschwindet im Wald nebenan. Kaum einen Baum gibt es da, den es noch nicht erklettert hätte.

**Bewegtes Leben.** Dr. Dagmar Rabensteiner hat einen unbändigen Bewegungsdrang. „Wenn ich auf einem Ärztekongress bin, brauch ich überhaupt zwei Laufeinheiten, sonst halte ich die Sitzerei nicht aus." Die obligate abendliche Party findet meist ohne sie statt.

**Wissenschaft.** Die dritte große Liebe (neben dem Laufen und Ehemann Peter) ist die Medizin. Als Fachärztin für innere Medizin verschlug es sie an die Diabetes-Ambulanz im Krankenhaus Lainz. Es häufen sich die Fälle von „Altersdiabetes". Exakt ausgedrückt handelt es sich um „Diabetes Typ II", hervorgerufen durch Übergewicht „Fast jeder Fünfte ist bereits davon betroffen, die meisten wissen es nur nicht." In ihrer Praxis in der Wiener Paniglgasse wartet Hilfe: „Durch ein Ernährungs- und Bewegungsprogramm kann die Stoffwechselsituation der meisten Altersdiabetiker geheilt werden."

**Lustvoll.** Nach dem Rekordlauf von Berlin hat sie ihre Laufschuhe aber nicht an den berühmten Nagel gehängt. Runde 120 km pro Woche rennt sie immer noch. „Nach Lust und Laune, ohne Stoppuhr, ohne Kilometerzeiten."

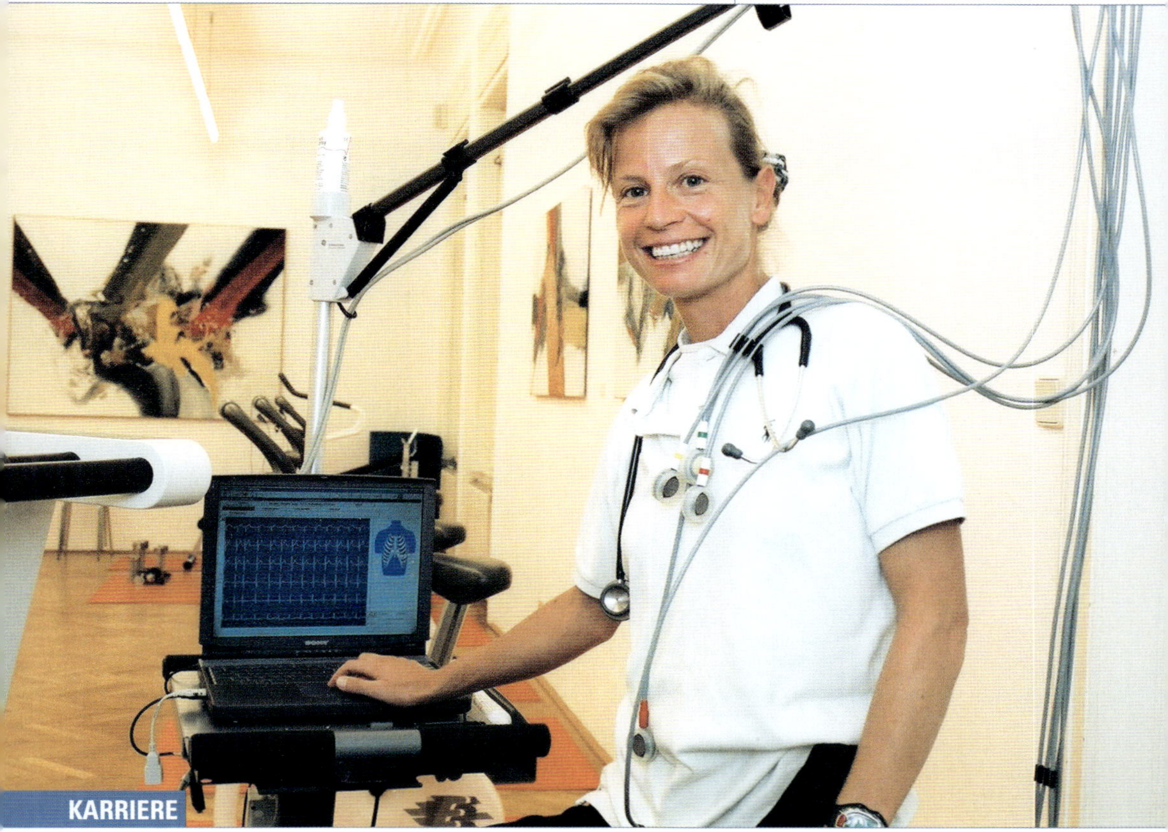




**Warum gerade diese Sportart?**

Dafür gibt es unzählige Gründe: „Laufen ist die selbstverständlichste Art, meinen unbändigen Bewegungsdrang zu stillen. Laufen bedeutet eins sein mit der Natur, ebenso wie mit mir selbst. Laufen ist Meditation und Entspannung. Laufen ist Kreativität und Klarheit der Gedanken.“ Marathon wiederum ist „ein Wettkampf, aber nicht gegen andere, sondern mit sich selbst dem Ziel entgegen“.

**Die größten Erfolge:**

Seit 4 Jahren schon ist Dagmar Österreichs schnellste Marathonläuferin. Im Jahr 2000 war mit 2:35:42 in Amsterdam die Premiere, 2002 wiederholte sich mit der auf die Sekunde exakt gleichen Zeit in Wien das Ereignis. Schlusspunkt war am 28. 9. 2003 beim Citymarathon in Berlin mit 2:34:35. 10. Rang. Österreichischer Rekord.

**Die größten Enttäuschungen:**

Das waren gesundheitliche Rückschläge, jeweils in Zeiten der Höchstform. 2001 beispielsweise kehrte Dagmar voll motiviert von einem Höhentrainingslager aus Kenia zurück. Es folgte eine lange Phase mit Überlastungssymptomen. 2003 kehrte sie – wieder aus Kenia – mit einem Darmparasiten zurück und musste beim Wien-Marathon (Mai) pausieren. Lief aber in Berlin (Sept.) Rekord.

# Nur mehr ohne Stoppuhr …

**Jetzt wird nur mehr nach Lust und Laune gelaufen. Das ergibt immer noch runde 120 Wochenkilometer.**

**„Wenn ich auf einem Kongress bin, lass ich die abendlichen Partys aus und gehe laufen."**

Als Dagmar nach ihrer Hochzeit mit Peter nach Wien zog, fehlte ihr der Auslauf. Den fand sie aber bald im Wienerwald, den sie seither unzählige Male durchquert hat. 1993 rannte Dagmar ihren ersten Marathon in rund dreieinhalb Stunden. 1997 ging's schon wesentlich flotter: 3:07 im Mai in Wien, im November in Florenz durchbrach sie die für viele Marathoni magische „Schallmauer" von drei Stunden. 2:55:19, sechster Rang bei den Frauen – und das ganz ohne spezielles Training.

**Telefonat.** Ein halbes Jahr später startet sie bei den Österr. Meisterschaften im Halbmarathon und wird Dritte. Als sie wenige Tage später das „Leichtathletik"-Magazin aufschlägt und die Ergebnisliste studiert, fehlt ihr Name. Ein Anruf beim Magazin klärt die Sachlage auf: Bei Meisterschaften werden nur LäuferInnen in der offiziellen Ergebnisliste erwähnt, welche Mitglied eines offiziellen Vereines sind. Also wurde sie beim Cricket-Club in Wien vorstellig. Sie wurde natürlich mit offenen Armen aufgenommen, und man stellte ihr gleich einen Trainer zur Seite.

**Durchstart.** Jetzt erhielt Dagmar präzise Trainingspläne. Und wenig später schon sollte es klappen: 1999 gewinnt sie den Graz-Marathon (2:41:46). Unterdessen hatte ihr Trainer ein Computerprogramm entwickelt, das per Knopfdruck ein ausgetüfteltes Trainingsprogramm ausspuckt, welches die Verteilung der verschiedenen Trainingsintensitäten auf die Minute genau berechnet.

**Zweifel.** „Das soll Laufen sein?", sagt sie zuhause ihrem Mann Peter, als die beiden die vielen Tabellen und Zahlen-

## KÖRPERLICHES UND TRAINING

**Ruhepuls:** 38
**Maximalpuls:** 200
**Stufenlaktattest am Laufband:**
**Aerobe Schwelle:** 16,2 km/h, 155 Puls
**Anaerobe Schwelle:** 18 km/h, 164 Puls
Anmerkung: Das waren die Werte vor dem Rekordlauf in Berlin. Interessant: In den letzten Monaten, also der ersten Phase als „Hobbyläuferin“, haben sich die Werte so gut wie nicht verändert.

**Training:**
Selbst in der unmittelbaren Wettkampfvorbereitung trainierte Dagmar hauptsächlich im Grundlagen-Ausdauerbereich. Etwas Kraftausdauer (aber auch nicht mehr als fünf Prozent) gab es in der unspezifischen Vorbereitungszeit. Und natürlich etwas Koordination und Lauf-ABC (zwei Prozent des gesamten Trainingsumfangs).

**Mentales:** „Lockerheit bei höchster Konzentration auf das Ziel – also Gelassenheit bei gleichzeitiger Fokussierung.“
**Ernährung:** „Kohlenhydratreich, ausgewogen, sportartgerecht, aber ohne Zwänge und Verbote.“
**Nahrungsergänzungen:**
Bei Erkältungsgefahr kurzfristig, aber ausreichend Zink, dazu Omega-3-Fettsäuren, verzweigtkettige Aminosäuren (BCAA), LCarnitin, Multivitaminpräparate (B, C, E).

## Immer zwei Herzen

**DOPPELBELASTUNG**

Thema Medizin und Leistungssport: „Vollste Konzentration auf nur ein einziges Ziel erwies sich bei mir offensichtlich als nicht ideal. Immer brauchte ich den Gegenpol zu dem, was ich gerade besonders intensiv tat – für meine Freiheit und Kreativität."

Kontakt für medizinische Fragen: Tel. 01/228 00 28, E-Mail: dagmar.rabensteiner@aon.at

reihen studieren. Zweifel an dieser Art der Trainingssteuerung kommen auf.

**Berufung.** Aber der Sieg in Graz hatte den Ehrgeiz zu sehr angestachelt, der österreichische Marathonrekord sollte gebrochen werden. Es fehlten ihr ja „nur noch" vier Minuten. Zu dieser Zeit war Dagmar als Assistenzärztin für innere Medizin im Krankenhaus Lainz tätig. Die Nachtdienste und bis zu 70 Stunden Arbeitszeit pro Woche beeinträchtigten das Trainingsprogramm zunehmend. Schließlich ließ sich Dagmar 1999 für sieben Monate vom Krankenhausdienst karenzieren und widmete sich nur noch dem Laufen. „Die volle Konzentration auf das Training nahm mir aber die Lockerheit – die Medizin und der Umgang mit den Patienten fehlten mir. Das Lauftraining wurde einseitig und starr." Dennoch: Im April 2000 in Rotterdam gelang mit 2:38:56 neuer persönlicher Rekord, aber noch nicht der österreichische.

**Neustart.** Wieder rief das Krankenhaus. Und trotz dieser Doppelbelastung ist es dann im Herbst 2000 so weit: Beim Marathon in Amsterdam am 15. Oktober schafft sie – quasi als „Teilzeitläuferin" – 2:35:42. Österreichischer Rekord! „Vielleicht war es gerade diese Doppelbelastung, die mir die Freiheit für diese Leistung gab." Jetzt folgt die letzte Etappe der Facharztausbildung. Ein Monat Resturlaub wird natürlich ins Laufen investiert: Dagmar fährt im Februar auf ein Trainingslager nach Kenia, kehrt in Topform zurück, rennt am 4. Februar 2001 auf schneebedeckter Strecke eine Halbmarathonzeit von phantastischen 1:15:42. Und gibt weiter Gas im Training.

**Error.** Bis der Körper urplötzlich verrückt spielt, eine „Error"-Meldung von sich gibt. Nichts geht mehr, Verletzung, Übertraining. Mit einem neuen Trainer und einem sehr behutsamen Aufbautraining („Am Ergometer begann ich mit 50 Watt zu strampeln") ging's wieder aufwärts.

**„Berlin war ein wunderschöner Marathon – weil ich den Rhythmus der Schritte bewusst wahrnahm. Ich wusste, es ist der letzte als Leistungssportlerin und lief völlig locker und frei."**

Im Mai 2002 dann ein weiterer kurioser Tag im Leben der Sportärztin: Auf die Sekunde genau gleich schnell wie damals in Amsterdam rennt sie nochmals Rekord (2:35:42).

**Kenia.** Jetzt wird das Olympialimit angepeilt. Es geht wieder ins Lieblingstrainingsland, nach Kenia. Nach der Rückkehr ein neuer Rückschlag: Ein Darmparasit hat sich in den Körper geschlichen, den Wien-Marathon muss sie sausen lassen. Die Pause tut gut, in Berlin klappt der Rekordversuch (2:34:35).

**Patienten.** Mit diesem Höhepunkt war Schluss. Jetzt gehört die Ärztin wieder den Patienten. Sie könnten besser nicht aufgehoben sein: Wer Stoffwechselprobleme hat, wie zu hohen Blutdruck, zu hohes Cholesterin oder gar Diabetes II, darf sich auf ein maßgeschneidertes Bewegungsprogramm freuen und anschließende dauerhafte Gesundheit. Aber auch Hobbysportler, die sich bester Gesundheit erfreuen, sind bei der Sportärztin Dagmar Rabensteiner bestens aufgehoben. Mit Leistungstests und individuellen Trainingsplänen.

## TIPPS FÜR MARATHONI

**Lang & ruhig:** Marathonlaufen ist eine Ausdauersportart. Daher liegt das Augenmerk beim Training vor allem auf der Ausdauer. Ein wöchentlicher Fixpunkt muss daher bei einem längeren, ruhigen Lauf liegen, einem so genannten „Long Jog". Beispiel: Wer den Marathon in etwa 3:15 laufen will, braucht dafür ein Marathontempo von etwa 4:40 pro Kilometer. Der Long Jog kann dann ohne weiteres ganz gemütlich angegangen werden, zwischen 5:30 und 6:00 pro Kilometer. „Die meisten Hobbyläufer rennen den Long Jog leider zu schnell", weiß Dagmar.

**Tempotraining:** Hobbyläufer, welche einen Marathon laufen wollen, sollten intensives Tempotraining in Form von Intervallen mit Vorsicht angehen. Wichtiger ist das Üben des Marathontempos. „Die Muskeln gewöhnen sich dann an das Tempo." Muskelkrämpfe ab Kilometer 25 rühren meist daher, dass das Tempo des Marathons im Training zu wenig geübt wird. Aber es sollte nie mehr als 10 bis 15 Prozent des Laufumfanges ausmachen.

**Pensum:** Dagmars Wochenumfang von 120 Kilometern ist für einen „normalsterblichen" Hobbyläufer natürlich zu viel. Er würde solch einen Umfang gar nicht verkraften. Und wer seinen Umfang steigern will, der sollte das behutsam machen. Faustregel: „Pro Woche nicht mehr als 10 Prozent steigern, nach drei Wochen eine ruhigere Woche einschieben." Dann schöpft der Körper nämlich erst richtig Kraft, das erreichte Niveau wird so abgesichert.

**Abwechslung:** „Ab und zu aufs Rad setzen, schwimmen und langlaufen – auch die Laufausflüge solltest du als Hobbysportler abwechslungsreich gestalten. Long Jogs wechseln mit ruhigen und zügigen Dauerläufen und gelegentlichem Fahrtspiel ab." Fahrtspiele sind Laufausflüge, bei denen man nach Lust und Laune das Tempo wechselt.

**Taktik:** „Marathon ist Rhythmuslaufen." Man rennt ihn am besten in einem gleichmäßigen Tempo. „Viele meinen, sie müssen in der ersten Hälfte einen Polster herauslaufen. Dabei verpulvern sie frühzeitig ihre ganzen Kohlenhydratspeicher."

**Ernährungstipps:** „Keine einseitigen Verbote, dafür auf ausgewogene, fettarme Ernährung mit viel Obst und Gemüse achten."

**Die Person:** Mentale Stärke ohne Arroganz – der Grundstein des Erfolges.

**Seite 74**

**Abwechslung:** Warum Felix Schispringen oder Langlaufen allein jeweils zu wenig wäre.

**Seite 76**

**Training:** Warum Felix Laktattests nur um des Friedens willen absolviert – und trotzdem gewinnt.

**Seite 79**

# Felix Gottwald, nordische Kombination

# Kombi: Mehr als zwei Teile

**Dass die nordische Kombination in Österreich ziemlich beliebt ist, das liegt nicht zuletzt an Felix Gottwald.**

## PERSÖNLICHE DATEN

**Name:** Felix Gottwald
**Geb.:** 13. 1. 1976
**In:** Zell am See
**Wohnhaft:** Rif bei Salzburg
**Fam.-Stand:** Ledig
**Kinder:** Keine
**Hobbys:** Golf, Schi, Faulenzen
**Lieblingsbuch/Autor:** „Der Alchimist“ (Paulo Coelho)
**Lieblingsfilm/Regisseur/Darsteller:** Keiner
**Lebensmotto:** „Hier und jetzt!“
**Nach der Profikarriere:** „Ans Lebensmotto halten!“
**Homepage:** www.felixgottwald.com

Es ist ein schöner Augusttag, als wir uns im Trainingszentrum Salzburg-Rif treffen. Felix Gottwald hatte am Vormittag trainingsfrei, schaut aber nicht nur deshalb „ganz zufrieden aus der Wäsch“, wie man landläufig so sagt. Man merkt an jeder seiner Bewegungen, an seinem ganzen Auftreten, dass er mit seinem Leben als Sportler mehr als zufrieden ist. „Das Bundesheer in Verbindung mit der Sporthilfe ist super, man kann sich auf den Sport konzentrieren, ohne sich um die Existenz kümmern zu müssen.“

**Mentale Stärke.** Das allein ist's wohl auch nicht. Felix ist mental extrem stark: „Wenn der Tag passt und das Material stimmt, dann bin ich im Langlauf nicht zu schlagen.“ Arrogant? Nö – wie die Karriere zeigt, eine punktgenaue Einschätzung. Anders kann man auch nicht Weltcupsieger und Weltmeister werden. Oder? Denn „was man sich nicht zutraut, das erreicht man auch nicht“, sagt etwa der Extremradler Wolfgang Fasching – der in Felix übrigens einen heißen Verehrer hat: „Wahnsinn, was der leistet.“

**Top-Werte.** Der Interviewtermin war auch gerade die Zeit der Leichtathletik-WM – und die Zeit der österreichischen Dopingskandale. Felix ist ein bisschen empört: „Da sagte doch dieser Ruderer, wenn er sich alle leeren Packungen seiner Ergänzungsmittel aufheben würde, wäre sein Wohnzimmer zu klein. Also ich brauche nicht eine einzige Packung im Jahr.“ Nicht eine Tablette Magnesium oder Eisen ist nötig, der „Gottwald-Express“ läuft auch so wie ein Glöckerl. Und was er damit sagen will: „Man kann auch mit normaler Ernährung Spitzenleistungen erbringen.“

KARRIERE

**Warum gerade diese Sportart?**

Sie bringt jeden Tag eine neue Herausforderung. „Langlaufen allein wäre mir zu langweilig, Springen allein auch zu wenig", umreißt der gebürtige Salzburger die Tatsache, dass die nordische Kombination keinesfalls eine „Notlösung" ist, weil er vielleicht in keiner der beiden Disziplinen Spitze sein würde. Doch diese Diskussion stellt sich eh nicht, die Kombination ist längst eine Spezialdisziplin an sich geworden. Wenn auch in Österreich, was die Leistungen von Felix & Co betrifft, medial noch unterbelichtet.

**Die größten Erfolge:**

Weltmeisterschaften in Val di Fiemme, 2003: Gold in der Mannschaft, Silber im Einzel, Bronze im Sprint. Insgesamt gab's bereits 9 Medaillen bei Großereignissen (Olympia, Weltmeisterschaften). Dazu noch der Gesamtweltcupsieg 2000/2001 – und nicht weniger als 16 Einzelweltcupsiege. Und unzählige Stockerlplätze.

**Die größte Enttäuschung:**

Das war natürlich die Heim-WM in der Ramsau 1999, bei der die Kombinierer leer ausgegangen sind. Der Grund im Fall Felix Gottwald war ein einfacher, taktischer Fehler: Zu schnell angefangen, zu schnell eingegangen. Ansonsten verlief die Karriere ganz planmäßig. „Man kann sich am Start schon ziemlich gut ausrechnen, was am Ende rausschauen wird." Wenn man seinen Körper kennt …

# Jaja, der Untersberg

**Die Lieblingstrainingsstrecke des tüchtigen Felix hat es in sich: von Rif hinauf auf den Gipfel des Untersbergs.**

„Der Glückliche" heißt Felix wörtlich übersetzt. Doch an der Weltspitze kann sich nur halten, wer auch tüchtig ist. Und auch innovativ. Und ein bisschen eigensinnig muss man auch sein. Und feinfühlig, was den Körper angeht. Von all diesen Ingredienzien hat der Salzburger ausreichend viel zur Verfügung. Zur Sturheit: Er pflegt Laktattests zu verweigern, macht sie aber ab und an, um den Hausfrieden (im Verband und in der Trainingsgruppe) nicht zu stören. Andererseits weiß er von dem einen oder anderen Mitbewerber, dass diese laut Laktat ihn locker schlagen müssten. Aber im Wettkampf ist dann doch meist Felix voran. Weil die Einstellung stimmt. „Im Wettbewerb zählt kein Laktatwert."

**Das sonnige Gemüt ist nicht Programm, sondern Lebensinhalt.**

**Mitbewerber.** Nun gut, immer passen Tag und Material eben nicht. Wär ja langweilig, wenn immer der Gottwald gewinnen würde. Es gibt ja auch noch einen Ronny Ackermann, einen Samppa Laijunen, einen Hannu Manninen oder – ganz neu in der abgelaufenen Saison – einen Sebastian Haseney. Mehr gibt's aber nicht mehr, die ihm auf Dauer das Wasser reichen können. Bei der Heim-WM 1999 in der Ramsau, wo er als Favorit letztendlich ohne Medaille dastand, war die Enttäuschung groß. „Zur Strafe" musste er zum Laktattest. Könnte ja sein ... – dachten sich die Verantwortlichen. Doch nix da – Form und Kondition waren absolut top. Die Mosaiksteinchen des Erfolges waren ganz einfach nicht perfekt angeordnet.

**Spannung.** Was die Bewerbe für den Zuseher so spannend macht: Meist hat Felix nach dem Springen ein

## KÖRPERLICHES UND TRAINING

**Ruhepuls:** 38
**Maximalpuls:** 200
**Blutwerte:** Sind perfekt, und das ohne jegliche Nahrungsergänzungsmittel.
**Stufenlaktattest am Laufband:**
**Aerobe Schwelle:** 15,4 km/h
**Anaerobe Schwelle:** 18 km/h
Anmerkung: Mit diesen Werten (am Beginn der Vorbereitungsphase) wäre eine Marathonzeit von unter 2:30 überhaupt kein Problem: Felix läuft übrigens gern und viel.
**Sonderfall Kombination:** Das Training wird in etwa 50:50 für Springen und Langlauf aufgeteilt. Beim Springen sind Schnellkraft und Koordination gefragt, beim Langlauftraining der übliche, spezifische Aufbau wie Grundlagen und Kraftausdauer. Das heißt, es muss der berühmte Spagat gefunden werden. So geht für vier Sprünge schon mal ein Vormittag drauf: Aufwärmen, Sprung, Videostudium, dann wieder Vorbereitung für den nächsten Sprung usw.
**Mentale Tricks:** „Die sagt man nicht weiter."
**Ernährungstricks:** „Ich esse, was mir schmeckt, mal mehr, mal weniger.
**Nahrungsergänzungsmittel:** Keine. Anmerkung: Natürlich werden ständig Blutproben genommen, damit ein allfälliger Mangel an Eisen, Magnesium, Selen, Mineralien oder Vitaminen kompensiert werden könnte. Das war aber bisher nicht nötig. Die Werte sind immer im Idealbereich.

## Eine ständige Aufholjagd

**Konzentriert und zugleich locker – so kennt man Felix, den Tüchtigen, auf der Loipe.**

bisschen Rückstand. Daher bläst er beim Langlauf zur Aufholjagd. Und pflegt sich das Rennen so einzuteilen, dass er vor der letzten Steigung auf den Führenden aufläuft, ihn die Steigung hinaufhetzt, oben überholt und dann bis ins Ziel nichts mehr anbrennen lässt. Das ist für die Zuseher spannend, für Felix eher anstrengend. „Aber wir arbeiten am Springen." Wie die abgelaufene Saison zeigte, mal erfolgreicher, mal weniger. Dazu kam eine Handverletzung, die ihn justament in einem seiner besten Rennen stoppte.

**Lieblingsstrecke.** Die Kraft für diese Anstiege und Kraftakte holt er sich schon im Sommer, beim Laufen. Seine Lieblings-Ausdauerstrecke führt ihn vom Golfplatz Rif, das ist im Süden von Salzburg, wo sich das Trainingszentrum befindet, hinauf auf den Untersberg. Hinauf wird gelaufen, herunter geht's gelenksschonend mit der Seilbahn. Wobei das Sportjahr eines Kombinierers nicht immer als „schonend" zu bezeichnen ist. Oftmals wird nach der Wettkampfsaison gleich weitertrainiert. Materialtests müssen absolviert werden, damit die Industrie den Sommer über was zu tüfteln hat.

**Auszeit.** Im Frühjahr 2003 hat sich Felix aber einen Monat lang eine Auszeit gegönnt. „Im Alter merkt man halt immer besser, was der Körper braucht." Na ja, 27 Jahre sind freilich relativ, aber wer mehr als 10 Jahre im Leistungssportzirkus vertreten ist (1993 war er schon Ersatzmann bei der Weltmeisterschaft), hat schon einiges an Belastung am Buckel. Weil konkret die Leisten zwickten, waren Rehab-Maßnahmen angesagt. „Daneben hab ich dann vier Wochen nur gemacht, was mir wirklich

## TIPPS FÜR HOBBYSPORTLER

**Stufenlauf:** Die Lieblingstrainingsstrecke des Felix Gottwald ist natürlich genial: Runde eineinhalb Stunden rennt er von Rif auf den Gipfel des Untersbergs. Zum Warmlaufen zuerst einige Kilometer am Talboden, dann die Wege und Stufen hinauf. Er überschreitet dabei nie die anaerobe Schwelle, eh klar. Aber, und das ist besonders nachahmenswert: Zur Schonung der Gelenke fährt er talwärts mit der Seilbahn.

**Körpergefühl:** Von Laktattests hält Felix also nicht viel, er vermeidet sie, wenn es nur irgendwie geht. Allerdings: Er kennt seinen Körper wie kaum ein anderer, das vermögen viele Hobbysportler nicht. Was man sehr wohl von ihm lernen kann, ist, eben auf die Signale des Körpers zu horchen, seine Reaktionen beobachten.

**Stressabbau:** „Man liest immer wieder, dass Hobbyläufer zu schnell laufen. Ich finde, das ist übertrieben. Wenn ein Manager Stress abbauen will, warum soll er dann nicht ordentlich angasen? Damit baut man Stress doch am besten ab, nicht mit gemütlichem Dahinjoggen." Tja, da hat er wohl Recht. Ist allerdings individuell. Als Hobbysportler solltest du also selber austesten, was für dich das Beste ist. Denn: Schnelle Läufe sollte nur machen, wer vorher die entsprechenden Grundlagen aufgebaut hat. Und das macht auch ein Felix Gottwald – mit viel Umfang und wenig Intensität. Was schon wieder relativ ist: Wenn er locker dahinjoggt, hat er immer noch 14 km/h drauf. Andererseits können ihm bei seinem „Schwellenlauf" auf den Untersberg wahrscheinlich auch die meisten Profis nicht folgen. Ergo: In den Körper reinhorchen!

**Körper:** Leistungsdiagnostiker und Personal Coaches werden auf Gotti ein wenig böse sein: „Vertrau nicht zu sehr auf die Wissenschaft, höre auf deinen Körper, sei dir selbst dein bester Trainer", lässt er ausrichten.

**Psycho-Tipp fürs Training:** „Mit Freude bewegen!"

**Technik-Tipp fürs Training:** Bewusst laufen, das ist das beste Techniktraining.

**Sein Ernährungstipp:** Iss, was dir schmeckt! – ausgewogen, also wenig Fett und Fleisch.

**Thema Alkohol:** Ab und zu gönnt sich Felix schon mal ein Bierchen. „Aber im Gegensatz zur Jugendzeit trinke ich nicht mehr über den Durst."

## DIE BEWERBE

Die „klassische Kombination" – auch Gundersen-Methode genannt – sieht so aus: Ein Probedurchgang und zwei Wertungsdurchgänge stehen auf der Schanze an. Die Rückstände aus dem Springen werden in Sekunden und Minuten für die Loipe umgerechnet, auf welcher dann 15 km im freien Stil zurückzulegen sind. Der Sprung-Sieger startet als Erster. Zunehmender Beliebtheit erfreut sich auch der Sprint-Bewerb. Hier gibt es nur einen Wertungssprung, danach 7,5 km auf der Loipe. Die „Verfolgung mit Massenstart" läuft verkehrt: zuerst Loipe, die Zeitrückstände werden umgerechnet, dann wird zweimal gesprungen. Beim Mannschaftsbewerb wird zuerst gesprungen, dann starten die Staffeln (im Weltcup 3, bei WM und Olympia 4 Läufer) nach den Rückständen aus dem Springen.

Spaß macht." Golfen etwa. Sein Trainingszentrum liegt ja gleich neben dem Golfplatz Rif. „Hier komm ich aber nie dazu, zu spielen." Ja, und immer wenn der Körper sich mit kleinen Wehwehchen meldet, „wird man sensibler, jetzt mache ich mehr Ausgleichsübungen".

**Einteilung.** Überhaupt muss sich ein Kombinierer die Zeit gut einteilen. „Besonders heikel ist das Springen. Auch wenn man gut trainiert, ist das noch keine Garantie für den Erfolg." So geschehen beim Saisonauftakt Ende November im finnischen Kuusomo: Nur die Plätze 19 und 15 im Springen, die obligatorischen Aufholjagden auf der Loipe, letztendlich die tollen Plätze fünf und vier. Auch ein Kombinierer ist zum lebenslangen Lernen verurteilt: Neue Anzüge erfordern einen neuen Sprungstil. Und selbst wenn man Felix heißt, kann man ein bisschen Pech haben: Klappte es im Springen gut, kam eine kleine Schwäche beim Laufen dazu, oder eben ein Rempler eines Gegners, mit Landung im Graben und lädierter Hand. Und eine Wettkampfpause, justament, als Hauptkonkurrent Ronny Ackermann sowohl auf der Schanze als auch in der Loipe zu schwächeln begann.

**Freude.** Das tut der Freude am Sport aber keinen Abbruch: „Jedes Rennen ist immer noch so spannend wie beim ersten Mal." Das war 1991/92, bei der ersten Alpencupsaison. Nur das Springen ist, wenn's nicht läuft, eine Plage. „Aber das ist beim Golfen auch so." Und daher ist ein Karriereende noch nicht absehbar. Erst „wenn es keinen Spaß mehr macht", soll es so weit sein. Schließlich zählt im Leben des tüchtigen Felix nur der Augenblick. Und da gäb's schon einen Berufstipp vom Autor: Mentaltrainer! Schließlich hat er Andi Schifferer, der ebenfalls ab und an in Rif trainiert, zu neuer Stärke verholfen. In aufbauenden Gesprächen und mit dem Tipp, doch nicht so verbissen in die Rennen zu starten ...

**Die Person:** Auf Hoffi ist immer Verlass – als cooler Sprintsieger in der Ramsau.

**Seite 82**

**Das Training:** Warum die Saison 2002/2003 total daneben ging.

**Seite 84**

**Tipps:** Was du von Hoffi lernen kannst.

**Seite 89**

# Christian Hoffmann, Langlauf

# Auf Hoffi ist immer Verlass

**Egal ob als Schlussmann in der Staffel oder im Olympiasprint gegen den Teamkollegen – meist siegt „Hoffi".**

**PERSÖNLICHE DATEN**

**Name:** Christian Hoffmann
**Geb.:** 22. 12. 1974
**In:** Haslach, OÖ
**Wohnhaft:** Aigen i. Mühlkreis
**Fam.-Stand:** Ledig
**Kinder:** Keine
**Hobbys:** Motorrad-Trial, Dart
**Lieblingsbuch/Autor:** „Mein Leben" (Lance Armstrong)
**Lieblingsfilm:** Komödien
**Lebensmotto:** Keep cool
**Nach der Profikarriere:** Noch keine fixen Pläne, „irgendetwas mit Sport halt"
**Fanpost-E-Mail:** hoffich@hotmail.com
**Homepage:** www.hoffi.at

Damals, bei der WM in der Ramsau, da war Österreich plötzlich zum Langlaufland geworden. Der Staffelbewerb hätte ja spannender nicht sein können: Michael „Botti" Botwinov stürzt, rettet einen knappen Vorsprung zur Übergabe an Hoffi. Der muss seine Taktik total umstellen, alles auf den Sprint setzen. Und gewinnt mit ein paar Zentimetern Vorsprung. Cheftrainer Walter Mayer damals: „Jetzt san de Trottln Wödmasta."

**Olympia.** Das gleiche Sprint-Spektakel veranstaltet Hoffi dann drei Jahre später bei Olympia in Salt Lake City. Diesmal ging's um Silber, diesmal musste Teamkollege Botti die Sprintqualitäten des kleinen Energiebündels akzeptieren. Aus Silber wurde im Dezember 2003 unverhofft Gold: Johann Mühlegg war gegen Ende der Spiele des Dopings überführt worden. Beim ersten Interview im Oktober 2003 hatte Hoffi noch gemeint: „Wahrscheinlich war Mühlegg auch bei meinem Rennen schon gedopt. Aber so sind halt die Regeln, das muss man akzeptieren."

**Der Ruhige.** Die WM-Saison 2002/2003 verlief für die österreichischen Langläufer enttäuschend. Die Umstände sind für alle Hobbysportler von größtem Interesse, darum kommt die „Person" Christian Hoffmann vielleicht ein wenig zu kurz. Daher kurz, aber in aller Ehre: Hoffi ist ein ganz Ruhiger, bei jedem Satz denkt er einen Moment nach, setzt mitunter ein verschmitztes Lächeln auf, hat immer einen tiefgründigen Schmäh auf Lager. Große Sprüche sind seine Sache nicht. Aber er weiß, was er kann: verdammt gut langlaufen!

## KARRIERE

**Warum gerade diese Sportart?**
„In Schöneben, in der Nähe meines Wohnortes Grünwald in Oberösterreich, gab es ein Langlaufzentrum. Das hatte mich immer fasziniert. Also nahm ich mal beim Langlaufcup der ‚Mühlviertler Rundschau' teil und belegte gleich den zweiten Platz." Das war sozusagen die Aufnahmsprüfung in den Schiclub, dann nahm der Weg nach oben seinen Lauf: Landeskader, Österreichischer Juniorenkader, Nationalmannschaft, Weltmeistertitel, Olympiasieg.

**Die größten Erfolge:**
Weltmeister 1999 in der 4 x 10 km Staffel mit Markus Gandler, Alois Stadlober und Michail Botwinov. Olympiasieg 2002 in Salt Lake City. Olympische Bronzemedaille 1998 in Nagano.

**Die größten Enttäuschungen:**
Bei dieser Frage überlegt Hoffi einen Moment. Mehrere Momente sogar. Dann: „Eigentlich gab es keine großen Enttäuschungen." Und die letzte Saison? „Das war schon im Herbst abzusehen, dass unser Experiment schief gegangen war. Da war dann den Winter über nichts mehr zu machen." Es sprang sogar noch ein 10. Platz bei der WM heraus. „Das war für die Fans und die Öffentlichkeit vielleicht enttäuschend", gesteht er ein. „Wenn man aber körperlich total am Boden ist und bei einer WM einen Top-Ten-Platz erobert, ist das alles andere als enttäuschend."

# Einmal zu viel Gas gegeben ...

**Ab und zu muss man ein Experiment wagen. Das kann gut gehen – oder auch nicht.**

**Dieser Jubel galt Olympiasilber, die Medaille wurde mittlerweile vergoldet. Dennoch: „In Turin will ich eine mit Bundeshymne."**

Stell dir vor, im März 2003 ist eine Weltmeisterschaft. Und schon im Mai 2002 beginnt das Training dafür. Eine lange Zeit, fürwahr, die gut eingeteilt sein will. Vor allem ist sie ausgefüllt mit Training. Ein kleiner Rückblick.

**Ramsau 1999.** Das war ein historischer Termin im österreichischen Langlaufsport. Als der ÖSV Jahre zuvor die Veranstaltung zugesprochen bekam, wurde ein „Marschplan" entwickelt. Man hatte ja einige Kaliber im Rennen, wie Markus Gandler, Alois Stadlober, Michail Botwinov – und Hoffi eben. Anton Innauer und Walter Mayer als Verantwortliche holten zusätzliches Personal an Land, wie den oberösterreichischen Leistungsdiagnostiker Manfred Zeilinger. Bis dahin hatten die österreichischen Asse meist ein Problem: Im Sommer waren alle Athleten in Hochform, im Winter lief man regelmäßig hinterher. Zeilinger bastelte an neuen Trainingsplänen, welche eine lange Ausdauerphase im Sommer beinhalteten, damit die Athleten dann zum richtigen Zeitpunkt, also im Weltcupwinter und speziell zur WM in der Ramsau, in Topform waren. Wie wir wissen, funktionierte das prächtig, es gab Mannschaftsgold und auch noch zwei Einzelmedaillen.

**Abwechslung.** Das ging dann jahrelang so dahin mit den Erfolgen und dem Training. Markus Gandler beendete zwar seine Laufbahn, und Alois Stadlober wurde Hobby-Marathonläufer. Botti und Hoffi aber waren weiter absolute Weltspitze, holten 2002 einen österreichischen Doppelsieg bei Olympia in Salt Lake City. Mit dem Erfolgstrainingsprogramm von Zeilinger. „Wir waren auf der Suche nach was Besserem", schildert Hoffi rückblickend

## KÖRPERLICHES UND TRAINING

**Ruhepuls:** 38
**Maximalpuls:** 205
**Aerobe Schwelle:** 16 km/h bei 177 Puls
**Anaerobe Schwelle:** 18 km/h bei 197 Puls
**Anmerkungen:** Die beiden oberen Werte sind mit 2,0 bzw. 4,0 mmol gemessen. Bei vielen Hobbysportlern treffen diese Schwellen zu. Nicht aber beispielsweise bei Hoffi. Dessen individuelle anaerobe Schwelle liegt bei 2,45 mmol, dabei schafft Hoffi eine Laufgeschwindigkeit von mehr als 17 km/h. In diesem hohen Bereich wird aber kaum trainiert, wie die prozentuelle Aufteilung unten zeigt. Die Geschichten mit der Quälerei im Training stimmen also auch bei Hoffi nicht. Er investiert vor allem in Zeit.
**Ausdauer:** 80 Prozent, **Kraftausdauer:** 5 Prozent
**Kraft:** 5 Prozent, **Koordination:** 10 Prozent
**Periodisierung:** Vom Frühjahr bis Spätherbst Vorbereitung auf die Wettkampfsaison.

**Abwechslung, Alternativen:** Die Langläufer sind Vorbilder für alle Hobbysportler: Sie nutzen die Regenerationszeiten gleich für die Koordination, indem sie Ballspiele veranstalten. Sie fahren zwischendurch Radtouren, um die Gelenke zu schonen. Dann legen sie wieder eine Laufeinheit ein, um die Beinmuskulatur zu kräftigen.
**Meine Ernährung:** „Wenn irgendwie geht, Vollwertkost. Vor allem Kohlenhydrate, die brauchen wir in rauen Mengen."

## Versuch und Irrtum

die Situation nach Olympia 2002. Also ging man daran, „was Neues zu probieren". Der Trainerstab und die Athleten setzten sich zusammen und besprachen ein Experiment. Sie hielten es dabei mit Karl Popper: Der Mensch strebt immer nach Verbesserungen, dabei bleibt ihm nichts anderes übrig, als das Prinzip „Versuch und Irrtum" anzuwenden: Jedes Experiment kann entweder gut gehen oder schief laufen, meint Popper. Wie die Geschichte zeigt, hatte der kluge Mann Recht.

**Mehr Gas im Sommer.** Zum Experiment: Die Jahre zuvor hatte man das Prinzip angewandt, dass in den „harten" Trainingswochen, also in jenen mit intensiven Belastungen, der Umfang etwas zurückgeschraubt wurde. Weil man aber annahm, dass in den letzten Jahren die Grundlagenausdauer schon ziemlich ausgereizt sei, behielt man diesmal in den „harten" Wochen den hohen Umfang bei. Mit dem Ziel, der Konkurrenz aus aller Welt dadurch einen Schritt voraus zu sein. Das ging eine Weile gut. Im Spätsommer zeigten Hoffi & Co beste Werte, waren „in der Form des Lebens". „Ich war so gut drauf wie noch nie", bestätigt Christian. Dann begann die Saison. Und die Form begann zu schwinden. Das gesamte Team war völlig platt. Extrem übertrainiert. Das Experiment war schief gelaufen.

**Rückkehr.** Nun ist man wieder zum alten System zurückgekehrt. Aber auch noch mit Hindernissen. Hoffi spürte das Übertraining nämlich noch bis in den letzten Sommer hinein. Eine nervenaufreibende Sache, schließlich kann, wer in das Übertraining verfällt, bis zu zwei Jahre daran laborieren. Der Körper lässt sich halt nur selten überlisten. Die Folge: Häufige Müdigkeit beim Training, „manchmal kam ich mit dem Rad die einfachsten Hügel nicht rauf", berichtet Hoffi beim Interview im Trainingszentrum in der Ramsau. Da war aber schon wieder alles im Lot. Fast. Denn der Weltcupauftakt ging abermals schief,

### FITNESSTEST

Langlaufen ist die gesündeste Sportart, die der Mensch bislang erfunden hat. Bei keiner anderen Sportart werden derart viele Muskeln betätigt. Mag sein, dass jeder Vergleich ein bisserl hinkt. Aber die Langläufer kann man getrost als die fittesten Menschen überhaupt bezeichnen. Das zeigen die Laktatwerte eines Alois Stadlober, eines Felix Gottwald und eben die von Christian Hoffmann. Vor allem betreiben sie ziemlich viel Abwechslung. Daher sind sie für Hobbysportler extrem gute Vorbilder. Das Laktat ist übrigens nur einer von über 100 Verbrennungsstoffen, die bei sportlicher Bewegung entstehen. Das Laktat ist bloß am leichtesten zu messen, Und keine Angst: Bei leichter Bewegung wird alles wieder abtransportiert!

diesmal entschloss man sich, ein Rennen auszulassen, nochmals auszuruhen und den Auftakt um weitere 14 Tage zu verschieben. Und wieder konzentrierte sich Hoffi auf die Ramsau – und es klappte vorzüglich: Kurz vor Weihnachten gab's über 10 km Skaten den ersten Weltcup-Einzelsieg. Im März beim Saisonfinale funktionierte es dann über 30 km ein weiteres Mal.

**15.000 km.** Diese Strecke legt Hoffi pro Jahr zurück. Teils auf Langlaufschiern, Teils auf dem Rad, dann wieder in Laufschuhen oder auf Schirollern. Diese 15.000 Kilometer wollen gut eingeteilt sein. Es beginnt mit ausreichend Grundlagenausdauer, also Einheiten im moderaten Puls- und Laktat-Bereich. „Weil unsere Sportart aber auch sehr viel Kraft erfordert, ist dies von Anfang an dabei", schildert Hoffi den Unterschied etwa zu Marathonläufern.

## Pause – das ist Bewegung

**Bis zur Jubelpose ist es ein hartes, vor allem langwieriges Stück Arbeit. Jeder Trainingskilometer will wohlüberlegt sein, nur wer zum richtigen Zeitpunkt das richtige Training macht, steht letztendlich ganz oben.**

**Mesozyklus.** Interessant für Hobbysportler ist der so genannte Mesozyklus, den die Langläufer anwenden: Drei Wochen wird mit steigenden Umfängen oder steigender Intensität trainiert, dann folgt eine aktive Erholungswoche.

**Mikrozyklus.** Die einzelnen Wochen selbst sind ebenfalls einem Schema unterworfen: Es gibt zwei lange Einheiten, einen Ruhetag. Das schaut dann so aus: Montag und Dienstag gibt es je zwei Trainingseinheiten: am Vormittag Ausdauer, am Nachmittag Schnelligkeit oder Kraftausdauer. Am Mittwochvormittag ist eine lange Einheit angesagt, am Nachmittag gibt es aktive Regeneration in Form von Spielen (Fußball, Tennis etc.). Der Donnerstag und der Freitag laufen wie der Montag und der Dienstag ab, am Samstag steht wieder eine lange Einheit auf dem Programm. Erst der Sonntag ist dann trainingsfrei.

**Spezifisch.** Die nachmittäglichen Kraftausdauer-Einheiten (in der Langlauf- und Radlersprache nennt man diese Einheiten „Kraft-Entwicklungsbereich") werden wiederum in Sequenzen unterteilt. Doppelstockeinsatz und „Eintakt" beispielsweise, dann wieder nur Beinarbeit stehen je 25 Minuten lang auf dem Programm. Dabei geht es mit den Schirollern bergauf. Daneben steht auch noch Nordic Walking an. Dabei werden der Stockeinsatz und der Abdruck der Beine simuliert. Bergab wird locker ausgelaufen, um Kraft zu sammeln für den nächsten Anstieg.

**Makrozyklus.** Das ganze Programm unterliegt natürlich einer langfristigen Planung: Im Sommer, wenn die Wettkämpfe in weiter Ferne sind, ist die Intensität eher gemäßigt, der Ausdauer gilt das Hauptaugenmerk. Geduld ist angesagt, denn die Auswirkungen eines bestimmten Trainings merkt man oft erst nach Monaten. Zum Saisonstart hin wird's dann intensiver, Kraft und Kraftausdauer kommen dazu. Aber: ohne die Ausdauer zu vernachlässigen.

## TIPPS FÜR HOBBYSPORTLER

**Periodisierung:** Die Jahresplanung der Langläufer ist für Hobbysportler hochinteressant: Monatelang wird vor allem Ausdauer trainiert, je näher der Saisonstart und der Saisonhöhepunkt rücken, um so mehr kommt die Intensität dazu. Dazu kommt noch jede Menge Techniktraining. Denn eine gute Technik spart bekanntlich Kraft.

**Laktattests:** Hoffi macht regelmäßig Laktattests. Der Grund: „Je mehr man trainiert, umso wichtiger werden sie. Da kann man viel mehr Fehler machen." 25 Trainingsstunden in der Woche wollen eben penibel geplant sein.

**Hoffis Technik-Tipps:** „Also wenn ich auf den Loipen so den Hobbyläufern zuschaue, dann bemerke ich, dass sie sehr oft mangelhaftes Material haben. Vor allem die Stöcke haben selten die richtige Länge."

**Sein Ernährungstipp:** Die Langläufer im Trainingszentrum in der Ramsau haben es gut: Sie werden von der Frau des langjährigen Trainers Walter Mayer mit Vollwertkost bekocht. „Überhaupt ist alles sehr familiär hier, das taugt uns schon." Das Interview zu dieser Geschichte fand übrigens während des Mittagessens statt. Hoffi kam gerade vom Gletschertraining. Weil die „Chefköchin Mayer" Urlaub hatte, wurde in einem Ramsauer Hotel gespeist. Es gab Naturschnitzel mit Reis. Viel Reis. Dreimal bestellte Hoffi Reis mit Gemüse nach. Training kostet eben Kraft, da kann man schon ordentlich zulangen.

**Was du von Hoffi lernen kannst:** Aus gegebenem Anlass natürlich: dass man nicht übertreiben soll. Es ist gar nicht so die Frage des Umfanges, ob du möglicherweise in ein Übertraining gerätst. Das kann schon bei einem wöchentlichen Laufpensum von 30 Kilometern und weniger passieren. Oder im Urlaub, wo man meint, man hat massenhaft Zeit. Und sich nicht die Zeit für ausreichend Regeneration nimmt. Denn „nicht trainieren" heißt noch lange nicht „regenerieren". Wer beruflichen Stress hat, baut dauernd Adrenalin und andere Stresshormone auf, die der Regeneration abträglich sind. Und wenn's mal nicht so läuft, sollte man es auch so halten wie Hoffi: Einen Wettkampf oder ein Training auslassen, bis der Körper sich wieder vollständig erholt hat.

**Die Person:** Franz Stocher hat eine ordentliche Portion Humor auf Lager.

**Seite 92**

**Das Training:** Viel Ausdauer, wenig Wissenschaft, viel Körpergefühl.

**Seite 94**

**Dein Nutzen:** Was du von Franz Stocher lernen kannst, und was du besser bleiben lässt.

**Seite 97**

# Franz Stocher,
# Rad (Bahn)

# Der „Straßenbahnfahrer“

**Er pendelte lange zwischen Straße und Bahn. Und hadert ein wenig mit der öffentlichen Meinung im Lande.**

## PERSÖNLICHE DATEN

**Name:** Franz Stocher
**Geb.:** 23. 3. 1969
**In:** Wien
**Wohnhaft:** Pressbaum
**Fam.-Stand:** Verheiratet
**Kinder:** Christoph
**Hobbys:** Familie, Gestaltung der eigenen Homepage
**Lieblingsbuch/Autor:** „Rauhbeine rasiert“ (Paul Kimmage)
**Lieblingsfilm/Regisseur/Darsteller:** „Muttertag“ (Harald Sicheritz, Roland Düringer)
**Lebensmotto:** Only the strong survive
**Nach der Profikarriere:** „Wenn ich das jetzt schon wüsste.“
**Fanpost-E-Mail:** stocher@stocher.at
**Homepage:** www.stocher.at

Andere Länder, andere Sitten: Wenn Franz Stocher in Österreich auf Trainingsfahrt ist, wird er nicht selten angehupt, die Autofahrer deuten ihm, er solle doch auf den Radweg ausweichen. Was die lieben Autofahrer nicht wissen: Radwege sind für Touristen gebaut, die würde er mit seinem Tempo erst recht über den Haufen fahren.

**Dilemma.** In anderen Ländern, etwa in Spanien oder in Italien, ist das anders: „Wenn ich dort unterwegs bin, werde ich sogar angefeuert.“ Nicht unbedingt, weil ihn dort jeder kennt, sondern weil er dort ganz einfach aufgrund seines Outfits als Leistungssportler erkannt wird. Und Radfahrer werden in anderen Ländern eben ganz anders bewertet, sie sind die Helden der Nation.

**Sportlerwahl.** Auch die Journalisten haben hierorts etwas Aufholbedarf. Alljährlich kommt es zur Wahl des „Sportlers des Jahres“. Dort hätte man Franz Stocher eigentlich am Stockerl erwartet, als Weltmeister im Punktefahren auf der Bahn. Nix da. Es wurde „nur“ ein sechster Platz.

**Heimatlich.** Ein kleiner Trost: In seiner unmittelbaren Heimat, in Pressbaum, am Rande des Wienerwaldes, da fühlt er sich heimelig. „Hier erkennt man meine Leistungen neidlos an.“ Denn er ist nicht nur auf der Bahn zuhause. Er gewann einst Wien–Gresten–Wien. Das ist bis heute keinem Österreicher mehr gelungen. Und darum nennt er sich spaßhalber selber einen „Straßenbahnfahrer“. Den Humor hat er immer noch nicht verloren. Und ein Tipp des Autors: Wäre doch ein schöner Job nach der Karriere, den Radsport in Österreich populärer zu machen.

## KARRIERE

**Warum gerade diese Sportart?**
Franz Stocher Senior war selber begeisterter Radsportler – da war der Junior halt öfters dabei. Und fuhr bei den ersten Kinderrennen die Konkurrenz gleich in Grund und Boden. „Leider dauerte es doch fast zehn Jahre, bis das erste Rennrad unter dem Christbaum stand." Aber offensichtlich war das dem Muskeltonus sehr zuträglich.

**Die größten Erfolge:**
Weltmeister im Punktefahren 2003, dazu zwei WM-Silbermedaillen und drei WM-Bronzemedaillen. Eine perfekte Sammlung also. Dazu kommen zwei Europameistertitel.

**Die größten Enttäuschungen:**
Sportlich musste Franz Stocher keine Enttäuschungen erleben. „Denn ich habe mich immer sehr gut selbst einschätzen können." Es gab eher positive Überraschungen, wie die Biografie zeigt. Eine herbe Enttäuschung ist aber die Tatsache, dass Radsport, speziell der auf der Bahn, in Österreich so wenig anerkannt wird. Die mediale Aufmerksamkeit steht objektiv gesehen nämlich tatsächlich in keinem Verhältnis zu den erbrachten Leistungen. Ein österreichischer Bundesligakicker hat jene körperlichen Werte, die schon ein 14-jähriger Nachwuchs-Langläufer aufweisen kann. Aber das sollte sich mit diesem Buch ja ein wenig bessern (weniger wohl die Laktatwerte der Kicker, aber die Aufmerksamkeit für Franz Stocher, Gerrit Glomser & Co).

# Höchstpuls nur bei der WM

**Franz Stocher trainiert die meiste Zeit im Ausdauerbereich. Und den Höchstpuls erreicht er nur beim WM-Rennen.**

Drei Wochen Pause pro Jahr gönnt sich Franz Stocher im „schlimmsten" Fall. Nach dem WM-Titel 2003 waren's gar nur eineinhalb Wochen, und schon ging's wieder los. „Unglaublich, wie der Körper in dieser kurzen Zeit abbaut. Die ersten Pedaltritte nach dem Urlaub sind immer eine unheimliche Qual." Na ja, das ist wenigstens ein Trost für alle Hobbysportler.

**Ausdauer.** Die ersten Wochen und Monate sind vor allem der Ausdauer gewidmet. Mit einem Schnitt von etwa 30 km/h tingelt er durch die Lande, wenn es im Raum Wien kühl und nebelig wird, geht's in den Süden. „Bei null Grad wird's einerseits ungemütlich, auch steigt die Gefahr von Verkühlungen." Früher, also in den Anfangsjahren seiner Karriere, da wurde viel in der Kraftkammer gearbeitet, viel geschwommen und viel gelaufen.

**Alles am Rad.** Mittlerweile wird alles am Rad erledigt, auch die Kraft und die Kraftausdauer. Letzteres funktioniert so, dass bei einer gewissen Pulsvorgabe eine gewisse Trittfrequenz gefahren wird. Also: Bei Ausdauer eine hohe Frequenz, beim Krafttraining ein schwerer Gang mit nur 50 Umdrehungen pro Minute. Das hat auch etwas mit der speziellen Konstruktion der Bahnräder zu tun (siehe Kasten nebenan). Übrigens: Beim Krafttraining wird die so genannte „lokale Kraftausdauer" trainiert, also die Oberschenkelmuskulatur.

**Steigerung.** Nach und nach wird die Intensität gesteigert. Das Kraftausdauer-Training, wie vorhin beschrieben, wird sehr oft auch in eine „große Runde" eingebaut, also in einen längeren Ausflug, der hauptsächlich im aeroben

### DAS BAHNRAD

Bahnräder sind ganz besondere Räder: Sie haben keine Bremsen, nur einen einzigen Gang und auch keinen Leerlauf. Tempoänderungen werden also ganz allein mit der Trittfrequenz bewerkstelligt, da man ja nicht schalten kann. Die fehlenden Bremsen haben sogar einen Sicherheitsaspekt, erklärt Franz Stocher: „Denn wenn bei der hohen Geschwindigkeit jemand bremsen würde, gäbe es schlimme Massenkarambolagen im Feld."

## KÖRPERLICHES UND TRAINING

**Ruhepuls:** 45 **Maximalpuls:** 200
**Laktatwerte:** „Meine Leistungstests mache ich bei Hans Holdhaus im IMSB in der Südstadt. Er gibt mir dann die Pulsvorgaben für den jeweiligen Trainingstag oder die entsprechende Belastungsform, wie eben Ausdauer, Kraft etc. Wie viel Watt ich an der anaeroben Schwelle schaffe oder wie hoch meine maximale Sauerstoffaufnahme ist, interessiert mich nicht so sehr, dass ich die Werte griffbereit oder gar im Kopf habe.“ Bei der Trainingsfahrt ist dann natürlich die Pulsuhr mit dabei, und die Vorgaben werden ziemlich streng eingehalten.
**Training: Ausdauer:** 70 Prozent, **Kraftausdauer:** 5 Prozent, **Kraft:** 1 Prozent, **Koordination:** Kaum bis gar nicht.
**Sonstiges:** 20 Prozent Schnelligkeit und wettkampfspezifisches Training, dazu 4 Prozent Regenerationstraining.
**Periodisierung:** Für gewöhnlich Einer-Periodisierung mit dem Höhepunkt der Weltmeisterschaft, durch das Olympiajahr ist die Periodisierung diesmal leicht geändert, nach der WM im Mai gibt's eine kurze Pause, danach Vorbereitung auf Olympia.
**Mentale Tricks:** „Ich wollte nie Trainingsweltmeister werden. Das laugt den Körper aus – den Höchstpuls erreiche ich daher nur bei der Weltmeisterschaft.“
**Meine Ernährungstricks:** Alles essen, aber in Maßen.
**Nahrungsergänzungsmittel:** Magnesium, Vitamin A & C, verschiedene Aminosäuren, Taurin, Glucose.

## Siegerehrung beim Training

Auch das Feiern wird schon im Training durchgespielt.

Bereich absolviert wird. In der Regel trainiert Franz Stocher in „Viererblöcken“: 2 Tage wird mit (relativ) hoher Intensität gearbeitet (die Intensität richtet sich nach der jeweiligen Trainingsperiode), dann gehören weitere 2 Tage der Ausdauer, dann kommt ein Ruhetag. Immer wird auch die Anzahl der Kilometer gesteigert. Die Trittfrequenz beträgt in der Regel 120 Umdrehungen pro Minute.

**Testwettkämpfe.** Stocher fährt sehr oft auch Straßenrennen. Das sind aber alles nur Testwettkämpfe, die Platzierung ist völlig nebensächlich, es geht hauptsächlich ums „Kilometerfressen“. Oberstes Ziel ist immer: „Mit den Kräften haushalten, die braucht man bei den entscheidenden Saisonhöhepunkten.“ Nicht immer allerdings haben die Sponsoren damit eine Freude, sie würden viel öfter Siege oder Stockerlplätze sehen. „Da muss man hart bleiben“ – nicht zuletzt deshalb hat er auch einen eigenen Rennstall gegründet. Das große Ziel Athen kann so punktgenau anvisiert werden.

**Mentales Training.** Das besteht bei Stocher in der Tatsache, dass er sehr viel allein trainiert. „Das ist das beste mentale Training, im Wettkampf ist man ja auch allein. Und wenn man allein eine große Runde dreht, da hat man viel Zeit zum Nachdenken, kann alle möglichen Rennsituationen im Kopf durchspielen. Meist stelle ich mir auch schon die Siegerehrung vor.“ (Anm.: Die Tiefenpsychologen nennen es „visualisieren eines Zieles“.)

**Drüsenfieber.** Obwohl Stocher seinen Körper sehr gut kennt, passierte es, dass er zu Jahreswechsel 2002/2003 bei einem Sechstagerennen einen Virus auffing und am Pfeiffer’schen Drüsenfieber erkrankte. „Bis zu einem Jahr Pause“, war die niederschmetternde Diagnose. (Vor dieser Viruserkrankung ist niemand gefeit, sie kann jeden ereilen, besonders Leistungssportler oder ehrgeizige Hobbysport-

## TIPPS FÜR HOBBYSPORTLER

**Training:** „Ganz schlau werde ich aus den Hobbysportlern, denen ich beim Training begegne, manchmal nicht. Die fahren bei jedem Wetter raus, trainieren auch weiter, wenn sie verletzt sind. Das kann ich nicht nachvollziehen.“
**Ernährung:** „Ich denke, was für mich passt, sollte auch für Hobbysportler okay sein.“
**Meine besten Technik-Tipps:** „Ein runder Tritt, eine möglichst hohe Trittfrequenz.“
**Meine Psycho-Tricks fürs Training:** „Laug dich nicht aus!“
**Meine Psycho-Tricks für Bewerbe:** „Bei uns Profis ist es so, dass man ein bisschen Schauspieler sein muss. Der Gegner darf deine tatsächliche Verfassung nicht am Gesichtsausdruck oder in der Körpersprache erkennen.“ (Anmerkung: Wer einen Hobby-Radmarathon fährt, hat natürlich keine wirklichen Gegner).

**Was unsere Experten für den Hobbysportler aus Franz Stochers Training herauslesen:**
**Was du abkupfern kannst:** Aus dem Trainingsaufbau des Franz Stocher geht klar hervor, dass er das Hauptaugenmerk auf die Ausdauer legt. Und relativ wenig auf die Kraft. Das ist auch für dich als Hobbysportler absolut empfehlenswert. Und vor allem auch, dass er im Training sowie in den Testwettbewerben nie an die Grenzen seiner Leistungsfähigkeit geht – und sie auf gar keinen Fall überschreitet. Vorbildlich ist natürlich auch der Einbau von Trainingspausen. Weil der Körper ja erst in der Pause wirklich Kraft schöpft (daher gehen viele Athleten auch gestärkt aus einer Verletzungspause hervor).
**Was du NICHT abkupfern solltest:** Dass Franz Stocher ausschließlich auf dem Rad trainiert, ist für dich als Hobbysportler nicht empfehlenswert. Das soll beileibe nicht heißen, dass Franz falsch trainieren würde. Er hat ganz einfach andere Zielsetzungen. Und die Zielsetzung für dich als Hobbysportler sollte eine eher „multisportible“ Betätigung sein. Das heißt eben: Öfter mal laufen gehen, öfter mal schwimmen und so weiter. Und auch wenn du ab und zu einen Radmarathon fährst: Du hast ja nicht wirklich „Gegner“, mit welchen du um den Sieg kämpfst. Also kannst du dir das Pokerspiel sparen. Besser ein wenig lächeln unterwegs!

## REGELKUNDE

So funktioniert das Punkterennen: Ein Bewerb geht über 40 Kilometer, eine Hallenrunde misst 250 Meter, ergibt 160 Runden. Jede 8. Runde gibt es einen Punktesprint, der 1., 2., 3. und 4. erhalten 5, 3, 2, 1 Punkte. Für die Überrundung des gesamten Feldes gibt es 20 Zusatzpunkte. Das war Stochers Stärke bei der WM: Ganze drei Überrundungen brachten 60 Punkte, zusätzliche 17 Sprintpunkte reichten für den Titel.

ler, weil das Immunsystem bei extremen Belastungen an seine Grenzen stößt, also für Viren besonders anfällig wird. Im speziellen Fall ist dabei der Epstein-Barr-Virus „zuständig.") Einen ganzen Monat Bett hüten, das ist für einen Bewegungsmenschen eine grausame Sache. „Sogar der Weg zum Arzt war eine unglaubliche Anstrengung, der Ruhepuls war ständig auf 100." Normalerweise beträgt er rund 45 Schläge. Erst im Februar besserte sich sein Zustand, aber an Training war immer noch nicht zu denken. „Bei den ersten Ausfahrten im März haben mich viele Touristen überholt, das war ein niederschmetterndes Erlebnis." Als absoluter Spitzenmann im Bahnzirkus erhielt Stocher aber eine Wild Card für die WM, brauchte sich nicht zu qualifizieren. Und auf den Punkt genau war er wieder fit – was bekannterweise mit dem Gewinn des Regenbogentrikots endete. „Das schönste Trikot der Welt", wie auch Straßenkollege Erich Zabel sagt.

**Die Person:** Mit der richtigen Portion Lockerheit und Gleichmut an die Weltspitze.

Seite 100

**Das Training:** 99 Prozent Ausdauer trainiert das Universalgenie.

Seite 102

**Dein Nutzen:** Gerrit ist trainingsmäßig ein Vorbild für alle Hobbysportler.

Seite 105

# Gerrit Glomser, Rad (Straße)

# Toursieger wider Willen

**Nicht alle Starts passen einem Profi in den Kram. Einmal unterwegs, erwacht das Wettkampffieber.**

## PERSÖNLICHE DATEN

**Name:** Gerrit Glomser
**Geb.:** 1. 4. 1975
**In:** Salzburg
**Wohnhaft:** Salzburg
**Fam.-Stand:** Ledig
**Kinder:** Keine
**Hobbys:** Alles, was mit Sport zu tun hat, Reisen
**Lieblingsbuch:** Ich bevorzuge im Moment Magazine wie Spiegel, trend, Gewinn
**Lieblingsschauspieler:** Ford, Cage, Pitt, Cruise
**Lebensmotto:** „Wer nicht riskiert, kann nicht gewinnen"
**Nach der Profikarriere:** „Erst mal fertig studieren (BWL), dann einen Job, der mich nicht an den Schreibtisch fesselt"
**Fanpost-E-Mail:** fanpost@glomser.com
**Homepage:** www.glomser.com

„Nicht, dass ich in Österreich nicht fahren möchte, aber der Termin passt als Vorbereitung für die Tour de France ganz einfach nicht. Aber Saeco ist in Österreich sehr präsent, also musste ich natürlich an den Start." Tja, und wer ein echter Rennfahrer ist, einen Sieg wittert, der tritt dann auch ordentlich in die Pedale. Um ganz konkret zu sein: Nicht der Sieg, sondern der Start war wider Willen erfolgt.

**Allrounder.** Gerrit ist einer der perfektesten Radfahrer im Weltcupzirkus. Er kann einen Sprint genauso gewinnen wie eine schwere Bergetappe. Bei den großen internationalen Rennen ist das allerdings so eine Sache: „Ein Italiener in einem italienischen Team wird nie einem Österreicher den Sprint anziehen." Daher ist Gerrit meist auf sich allein gestellt, landet dann meist zwischen Platz drei bis sechs – als bester „Einzelsprinter" sozusagen.

**Weltenbummler.** Gerrit zog es früh ins Ausland. „Das war ein harter Weg, aber ich musste ihn gehen, um an die internationale Spitze heranzukommen." Mittlerweile ist er bei einem der größten Radteams der Welt, Saeco, gelandet und ist für die großen Rundfahrten neben Gilberto Simoni Anwärter auf die Kapitänswürde.

**Abwechslung.** Früher ging Gerrit am Mountainbike fremd. Mit Erfolg: 1999 und 2000 Sieger der Salzkammergut Trophy, einem MTB-Extrem-Marathon. Und 2001 dann der Sieg beim härtesten Ein-Tages-Rennen, dem „Race Across the Alps" (Straßenrennen): 520 km, 12.500 Höhenmeter durch Österreich, Schweiz und Italien.

**Warum gerade diese Sportart?**
„Mein Jugendfreund Alexander Kribus hat mich überredet, bei einem Radrennen mitzumachen. Für mich war es der Karrierestart, für ihn gleichzeitig das letzte Rennen. Wir sind aber immer noch Freunde."

**Die größten Erfolge:**
Zweifacher Sieger der Österreich-Rundfahrt (2002 und '03). 1997: Bronze bei der U-23-WM in San Sebastian und Bronze bei der U-23-EM in Villach, Damit ist „Glomsi" der einzige österreichische EM- und WM-Medaillengewinner auf der Straße. Was in den österreichischen Medien kaum Niederschlag findet: Gerrit Glomser ist eine anerkannte Größe im Radzirkus. Gibt's einen Ausreißversuch, bei dem Glomser dabei ist, geht im Hauptfeld gleich die Post ab. Misslingt schließlich der Ausreißversuch, „ist das für mich keine Niederlage, sondern die beste Anerkennung".

**Enttäuschungen:** „Immer wieder gesundheitliche Rückschläge." Letztes Beispiel: Schwerer Sturz beim Salzburger Altstadtkriterium im Juli 2003, ausgerechnet bei einer Sprintwertung löste sich das Vorderrad. Dabei war Gerrit als Saeco-Kapitän für die drittgrößte Rundfahrt nach Giro und Tour, die Vuelta, nominiert. Er rappelt sich schließlich wieder hoch, fährt eine äußerst aktive Weltmeisterschaft und eine sensationelle Lombardeirundfahrt, die Saeco letztendlich den Gesamtsieg sichert.

# 99 Prozent für die Ausdauer

**30.000 Kilometer legt der Salzburger im Jahr zurück. „Mehr bringt's nicht, die fahren sich alle kaputt."**

**Rad an Rad mit Kumpel Lance Armstrong.**

Hallein, im Dezember 2003. Der City-Biathlon steht auf dem Programm, ein Einladungsrennen, Frode Andresen ist unter anderem dabei, schießt einige Male daneben. Gerrit startet in einer Promistaffel und verblüfft mit einer fehlerfreien Schussleistung. Wenige Tage zuvor hatte er beim Weltcup in der Ramsau bei einem weiteren Rahmenprogrammpunkt auf dem Mountainbike einen Vergleichskampf mit einem Langläufer und einem Pferd bestritten. Den Langläufer konnte er schlagen, gegen das Pferd hatte er allerdings auf der kurzen Sprintstrecke (100 m) und dem rutschigen Untergrund keine Chance.

**Aktive Erholung.** Der Dezember war nämlich ein Monat der „aktiven" Erholung. Da schauen die Tage eben so aus: Mal eine dreistündige, lockere Ausfahrt auf dem Rad, dann wieder eine Ganztagesschitour, mal eine Badmintonpartie und der eine oder andere Juxbewerb, gut für die Promotion – Bewegung ist jedenfalls immer dabei.

**Reserven.** Gerrit Glomser hat den Ruf eines „schlamperten Genies". Sein Leistungsdiagnostiker Dr. Bernd Pansold umschreibt es sanft: „Ja, der Gerrit hat schon noch Reserven." Und wie sieht Gerrit das selbst? „Also wenn ich mir fünf Stunden vornehme, dann fahr ich auch fünf Stunden. Aber nicht am Vormittag, sondern so spät, dass ich grad noch bei Tageslicht zurückkomm. So bin ich halt."

**Ausdauer pur.** Eine Etappe bei der Tour dauert bekanntlich fünf Stunden und länger. Das will geübt sein. Daher trainiert Gerrit nach eigenen Angaben „99 Prozent" im aeroben Bereich. Ab und zu gibt's etwas Intervalltraining

## KÖRPERLICHES UND TRAINING

**Ruhepuls:** 45
**Maximalpuls:** 200
**Laktatwerte vom 20. 1. '04:**
**Aerobe Schwelle:** 280 Watt bei Puls 145
**Anaerobe Schwelle:** 320 Watt bei Puls 165
(Das sind die Werte am Beginn der Vorbereitungszeit. In Höchstform steigert sich dann die Wattleistung natürlich.)
**Jahreskilometer:** 20.000 Training, 10.000 Rennen
**Im Training: Ausdauer:** 99 Prozent **Intervalle:** 1 Prozent
**Koordination:** Im Moment kein wesentlicher Bestandteil des Trainings. Dafür gab's in der Schulzeit viel Abwechslung: leistungsmäßig Leichtathletik und Turnen, dazu Tennis, Judo, Langlaufen, Schi alpin. In den (aktiven) Erholungspausen gibt's nach wie vor viel Abwechslung.
**Periodisierung:** Im Jahr 2004 gibt es zwei große Ziele: Die Tour de France und Olympia. Im Februar gibt's die ersten Rennen, „aber nur zum Herantasten". Im März und April steigen die ersten Höhepunkte, im Mai geht's dann für die ultimative Tour- und Olympiavorbereitung in die Höhe von Boulder, Colorado.
**Mentales:** „Ich weiß, dass ich jederzeit eine Tour-de-France-Etappe gewinnen kann. Und bei Olympia gibt mir die selektive Strecke sogar gute Chancen."
**Ernährung:** In der Vorbereitung wird auf das Gewicht geachtet. „Während der Tour de France kann man alles essen. Da gibt's auch mal zentimeterdick Nutella."

## RADLERLATEIN

Für alle, die sich bisher für Radsport nur am Rande interessiert haben: Es gibt die drei großen Rundfahrten „Giro d'Italia" im Frühjahr, die „Tour de France" im Sommer und die „Vuelta España" im Herbst. In der Literatur heißen die drei kurz „Giro", Tour", „Vuelta". Alle drei Rundfahrten innerhalb einer Saison im Vorderfeld zu bewältigen ist so gut wie unmöglich, weil der Substanzverlust zu groß ist. Daneben gibt es eine Reihe von klassischen Tagesrennen, wie „Paris–Roubaix". Auch dafür gibt es einen speziellen Typus von Rennfahrern.

zum Anheizen vor wichtigen Rennen, „aber das Tempotraining steht eindeutig im Hintergrund", versichert er hoch und heilig. Allerding muss man wissen, dass Radprofis auch trainieren, wenn sie grad nicht trainieren – eben Rennen fahren. Nicht bei jedem Rennen kann man vorn dabei sein – das ist dann sozusagen „Training mit offizieller Zeitnehmung". Da wird's also intensiv.

**Einteilung.** Überhaupt muss man sich als Radprofi das Jahr gut einteilen. Von der Rennplanung und den Pausen hängt es wesentlich ab, ob ein Jahr unterm Strich positiv ausfällt. Lance Armstrong konzentriert sich bekanntlich (und erfolgreich) rein auf die Tour. „Ich fahre vielleicht 10 Rennen im Jahr auf Weltklasseniveau, mehr geht nicht", verrät Gerrit. Und fügt hinzu: „Die Kollegen, die zu viel Rennen fahren (müssen), können ihr Potenzial nie ausschöpfen." Besonders gefährdet sind natürlich junge Fahrer. „Die hängen sich beim Mannschaftstraining rein wie die Wilden, um uns Routiniers zu imponieren", lächelt Gerrit verschmitzt. Was aber die Teamführung gar nix schert. „Allein die Leistung im Wettbewerb zählt."

**Mannschaftstraining.** Ein gutes Stichwort. Ein solches gibt es, bis auf eine Woche im Januar, nicht. Jeder macht, was er will, trainiert, wie er will, und dann trifft man sich zu den Rennen. „Wer da Kapitän oder Sprinter spielen will, der muss sich erst hinaufarbeiten", irgendwelche Trainingsergebnisse zählen da Null Komma Josef.

## TIPPS FÜR HOBBYSPORTLER

**Training:** „Nicht bei jedem Training Gas geben. Das powert aus. Radfahren ist Ausdauersport, also muss man vor allem Ausdauer trainieren." Wenn das den Profis gut tut, kann es für Hobbysportler nur recht und billig sein.

**Meine besten Technik-Tipps:** „Ich würde sagen, der runde Tritt ergibt sich von selbst."

**Anmerkung:** Diese Einstellung zeigt, dass es gar nicht so schlecht ist, möglichst unkompliziert an eine Sache ranzugehen. Wie weit man mit Unbeschwertheit kommen kann, hat „Glomsi" ja hinreichlich bewiesen. Allerdings betont er: „Ich verschiebe das Training gerne auf den letzten Moment. Also wenn fünf Stünden am Plan stehen, es um 21 Uhr finster wird, starte ich um 15 Uhr. Dann geht sich auch eine Kaffeepause aus. Aber das Pensum halte ich strikt ein."

**Mein Tipp für Bewerbe:** „Also ich würde mich bei einem Hobby-Radmarathon ganz hinten anstellen, dann könnte ich viele Leute überholen. Das baut auf und gibt Kraft."

**Was Experten für den Hobbysportler aus Gerrit Glomsers Training herauslesen:**

**Was du abkupfern kannst:** Ziemlich viel. Erstens die Unbeschwertheit. Wenn Gerrit es mit dieser Lockerheit (die alles andere als gespielt ist) zum zweiten Kapitän des besten Radstalls der Welt schafft, solltest du als Hobbyradler auch ziemlich weit kommen. Das Training selbst – die absolute Betonung auf die Ausdauer – ist ebenfalls vorbildlich. Und dass du nicht bei jedem Bewerb Vollgas gibst. Nütze die ersten paar Rennen als Vorbereitung, damit du dann bei deinem Saisonhöhepunkt wirklich am Höhepunkt deiner Leistungsfähigkeit bist.

**Was du NICHT abkupfern solltest:** Als Hobbysportler ausschließlich am Rad zu sitzen, davon raten all unsere Experten ab (in der aktiven Erholungszeit gönnt sich ja auch Glomsi die eine oder andere alternative Sportart). Denn: Abwechslung ist gesund – das gilt auch für leidenschaftliche Läufer, die besser ab und zu eine Runde am Rad absolvierten sollten. Oder ab und zu – noch besser regelmäßig – eine Schwimmeinheit einzulegen. Auch Ballspiele sind gut für die Koordinationsfähigkeit. Denn sowohl Langstreckenläufer als auch Hobbyradler vernachlässigen diese oft sträflich.

**Pulsfrage.** Wenn Gerrit am Rad sitzt – das ist so gut wie jeden Tag – dann tut er das nie ohne seine Pulsuhr. „Ich habe ja schon ziemlich viel Erfahrungswerte, aber wenn die heiße Trainingsphase beginnt, dann geh ich zu Dr. Pansold, mache einige Leistungstests und halte mich dann strickt an die Trainings- und Pulsvorgaben." Wie schnell ist ein Radprofi im Training eigentlich unterwegs? Die meiste Zeit, also bei den ruhigen, aber langen Ausfahrten, „fahre ich so zwischen 30 und 32 km/h Schnitt".

**Hierarchie.** In nur zwei Jahren bei Saeco hat es das „schlampige Genie" aus Salzburg also bis fast ganz nach oben geschafft. Er ist sozusagen „Edeldomestik" von „Chef" Simoni. Für 2004 sollte das so ausschauen: Simoni wird seinen „geliebten" Giro fahren, die Tour de France sollte dann Gerrit „gehören". Geschnuppert hat er im Vorjahr schon, mit einigen durchwachsenen Erlebnissen: Einmal musste er Simoni den Berg raufschleppen, ein andermal zeigte Gerrit selbst am Telegraph mit einem spektakulären Ausreißversuch auf. Wurde aber bald eingeholt, weil Lance Armstrong seinen Helfern befahl: „Den dürft ihr mir nicht ziehen lassen, der ist zu gut." Kurz überlegte die Saeco-Teamleitung, als Simoni schwächelte, Gerrit zum Kapitän zu machen. „Ich musste aber passen – schließlich war ich durch die Rennplanung des Teams in der Zeit vor der Tour letztendlich nicht mehr in Höchstform."

**Sportstadt.** Gerrits Lieblingstrainingsstadt ist übrigens Boulder, ein schmuckes Städtchen auf einem Hochplateau in Colorado gelegen. Dort schlagen viele Triathleten, Marathonläufer und Radfahrer aus aller Welt ihre Trainingszelte auf – wegen der unendlich langen Trainingsstrecken. Auch die Einwohner sind äußerst sportbegeistert, laufen oder radeln zur Arbeit. Beim jährlichen Marathon ist halb Boulder mit von der Partie. „Wenn man dort eine Trainingsfahrt macht, hat man uneingeschränkten Vorrang auf der Straße", schwärmt nicht nur Gerrit Glomser.

## TYPEN

**Sprintstars.** Sie treten bei Massenankünften in Erscheinung. Mario Cippollini, Alessandro Petacchi, Erik Zabel und Robbie McEwen waren im abgelaufenen Jahr jene vier, welche die Sprints meist unter sich ausfuhren. Von der Körperstatur sind die Sprinter eher die mit den kräftigsten Oberschenkeln.

**Bergfexe.** Geht es bei den Rundfahrten in die Berge, dann sind logischerweise die Bergspezialisten an der Reihe. Sie sind meist kleingewachsen und federleicht bzw. passt das Größe-Gewicht-Verhältnis ideal. Wie etwa bei Roberto Heras oder Iban Mayo.

**Allrounder.** Diese „Mischtypen" können überall mitmischen, eben am Berg und im Sprint. Lance Armstrong eher am Berg, er tut sich das Getümmel beim Sprint einfach nicht an. Gerrit gehört zu diesen Allroundern, mit leichtem Hang zum Sprinter. „Ich glaube, dass dies wesentlich von der Muskelfaser abhängt, nur zum Teil trainierbar ist."

**Die Person:** Warum ihr das Leben im Moment so „bärig“ vorkommt.
**Seite 108**

**Das Training:** Wie die Schwimmschwäche ausgemerzt wird.
**Seite 110**

**Tipps:** So kannst du deinen ersten Triathlon erfolgreich bestreiten.
**Seite 113**

# Kate Allen, Triathlon

# Es begann an einer Bar in Kitz

**Sie liebt nicht nur ihren Marcel, sondern auch das Leben als Sportlerin – und das Land Österreich.**

**PERSÖNLICHE DATEN**

**Name:** Kate Allen
**Geb.:** 25. 4. 1970
**In:** Geelong, Australien
**Wohnhaft:** Innsbruck
**Fam.-Stand:** Verheiratet mit Marcel Diechtler, Triathlet
**Kinder:** Keine
**Hobbys:** Reisen, Schi
**Lieblingsbuch:** „Die Nebel von Avalon" (Marion Zimmer Bradley)
**Lieblingsfilm:** „Im Rausch der Tiefe"
**Lieblingsmusik:** Madonna, R.E.M.
**Lebensmotto:** Leben für den Moment
**Nach der Profikarriere:** Krankenschwester
**Homepage:** www.kateallen.at
**Fanpost-E-Mail:** katemarc@aon.at

Dass Österreich eine Weltklasseathletin im Triathlon hat, verdanken wir einem Flirt in einer Bar im Schiort Kitzbühel. Dort werkt 1995 eine australische Krankenpflegerin, um sich den Rückflug ihrer Studienreise zu finanzieren. Da lernt sie einen „bärigen" Tiroler kennen. Marcel Diechtler ist Hobbytriathlet. Kate Allen erspart sich den Rückflug, nimmt ein Jahr später mit einem ausgeborgten Herrenrad an einem Triathlon teil. Platz vier und 1.000 ATS Preisgeld. Trotzdem kein Rückflug. 1999 wird geheiratet.

**Sommermärchen.** Ein „Sommermärchen in Tirol" sozusagen. Das Märchen nimmt seine Fortsetzung: Kate wechselt 2001 ins Profilager und schafft bei ihrem zweiten Ironman (2003 in Klagenfurt) gleich die „Frauen-Schallmauer" von neun Stunden, die drittbeste jemals erreichte Ironman-Zeit einer Frau. Aber schon vorher war das große Ziel festgestanden: „Edelmetall" in Athen. Und gleich nach dem Zieleinlauf von Klagenfurt begann der Countdown dafür.

**Winter für Athen.** Mehrere „Kurzdistanzen" standen danach auf dem Programm. Allen tauschte nach der WM in Neuseeland (7. Dez.) für mehrere Monate die winterliche Wahlheimat Tirol gegen die warme, australische „Urheimat". Weil da für das Training die weitaus besseren Bedingungen herrschen. Das Limit für Athen hat sie in der Tasche, die Konkurrenz ist aber stark: „40 Athletinnen haben reelle Medaillenchancen." Die Einstellung passt: „Ich bin so froh über mein derzeitiges Leben – ich brauche nur Sport zu betreiben. Und ich liebe nicht nur Marcel, sondern auch Österreich über alles." Es geht ihr „bärig".

**Warum gerade diese Sportart?**
„Ich habe 1995 Marcel kennen gelernt. 1996 probierte ich dann den ersten Kurz-Triathlon. In der Schule, bis zum 15. Lebensjahr, bin ich leistungsmäßig gelaufen." Detail: australische Meisterin. Dann eine längere Sportpause.

**Die größten Erfolge:**
Sieg beim Ironman in Klagenfurt 2003 mit der drittschnellsten je erreichten Ironman-Zeit (8:54:01), Jahresweltbestleistung und Nr. 1 der Welt auf der Langdistanz. Beim Weltcup in Hamburg rächt sich die Schwimmschwäche – Kate holt am Rad und beim Laufen mächtig auf, verfehlt nur um eine Sekunde (!) den ersten Weltcupsieg. Kate ist natürlich auch Österreichische Meisterin, gewann die Triathlons von Mailand, Genf und Klagenfurt (jeweils olympische Distanz). Besonders bemerkenswert ist die Entwicklung in der (Kurzdistanz-)Weltrangliste: August 2003 Platz 205, Dezember 2003 Platz 40 (!).

**Enttäuschungen:**
„Hat es noch keine gegeben. Es gab eigentlich immer nur Erfolgserlebnisse, die WM in Neuseeland lief zwar nicht optimal, das lässt sich aber mit der langen Saison und dem Abenteuer Ironman erklären. Ich war ab Jänner im Training, dann der Ironman, die Weltcuprennen mit der Olympiadistanz – irgendwann ist der Körper leer. Das ist dann, wie wenn man den Stecker aus der Dose zieht. Kein Saft mehr da."

# Schwimm, Kate, schwimm ...

**Die Beste im Laufen, mit (bisherigen) Schwächen im Schwimmen. Das war aber im Vorjahr.**

## DISTANZEN

Der „klassische“, auch „olympische“ Triathlon genannt, führt über 1.500 Meter Schwimmen, 40 km Radfahren und 10 km Laufen. Kate Allen braucht dafür rund 2 Stunden. Für Einsteiger gibt es kürzere Bewerbe: 300 bis 700 Meter Schwimmen, 10 bis 20 km Radeln, 5 bis 10 km Laufen. Die Königsdisziplin ist die „Ultra-Distanz“: 3,8 km Schwimmen, 180 km Biken und 42 km Laufen sind in einem Stück zu erledigen. Kate Ellen braucht dafür nicht mal 9 Stunden. Ein (sehr) guter Hobbysportler schafft es in 10 bis 12 Stunden. Der „Ironman“ mit genau dieser Distanz ist ein (geschütztes) Markenprodukt: Acht Quali-Wettkämpfe gibt es übers Jahr, die besten 15 jeder Altersgruppe dürfen beim berühmten Ironman auf Hawaii mitmachen.

International hat Kate Allen einen Riesenvorteil. Weil sie erst so kurz im Geschäft ist und das Jahr 2003 mit der Ironman-Teilnahme in Klagenfurt quasi „verjuxt“ hat, traut man ihr in Athen nicht unbedingt eine Medaille zu. Bei genauerem Hinsehen sind die Chancen allerdings mehr als reell. Ein kurzer Rückblick.

**Distanz.** Im Triathlon gibt's verschiedene Distanzen (siehe Kasten links). In Athen steht folgerichtig die „olympische“ Distanz an. Allen liebt eigentlich die Ironman-Distanz. Folgerichtig hat sie auf der kürzeren Variante noch Reserven. Riesige Reserven. Vor allem im Schwimmen. Die internationale Konkurrenz weiß das nur nicht.

**Penibel.** Das Team rund um Kate und Ehemann Marcel hat einen ausgeklügelten Marschplan entworfen. Da wird nichts dem Zufall überlassen. Der Ernährungsberater der königlichen Kicker von Real Madrid war gerade gut genug, um die Menüpläne zu kreieren. Im Training selber ist Kate mit einem telemetrischen Analyseprogramm unterwegs. Wie in der Formel 1 werden die Daten des „Motors“ per Datenhighway in die „Box“, sprich zum Trainer, übertragen. Allfällige Korrekturen bezüglich Intensität könnten jederzeit rückgemeldet werden. Nach der WM Anfang Mai auf Madeira gibt's auch keine Wettkämpfe mehr. Nur mehr zielgenaue Vorbereitung auf Athen.

**Ausflug.** Aber eigentlich ist Athen nur ein Ausflug in die Kurzdistanz. Danach ruft wieder der Ironman. „Vielleicht schon im Herbst, aber das muss man noch abwarten, wie ich nach Athen drauf bin.“ Könnte sein, dass doch noch 2004 Hawaii ins Programm rutscht.

## KÖRPERLICHES UND TRAINING

**Ruhepuls:** 42 **Maximalpuls:** 185
**Auffälliges:** Maximale Sauerstoffaufnahme: 75,3 ml/kg/min (Extremwert für Frauen)
**Aerobe Schwelle:** Allens Schwelle liegt bei 1,5 mmol – Rad: 200 Watt, Laufen: 4:30/km (13 km/h).
**Anaerobe Schwelle:** Rad: 280 Watt, Laufen: 19 km/h
**Trainingspensum/Ausdauer:** 75 Prozent, **Schwellentraining (an der anaeroben Schwelle):** 20 Prozent
**Tempo, Schnelligkeit:** 5 Prozent
**Koordination:** 2 Stunden in der Woche, sind in Form von Lauf-ABC in die Läufe und speziellem Techniktraining beim Schwimmen integriert.
**Periodisierung:** Den Winter über gab es in Australien einen Ausdauerblock für Laufen und Radeln, Techniktraining im Schwimmen. Zur Zeit der Drucklegung (März) begann die intensive Vorbereitung auf die EM in Valencia (18. April). Dann geht's zum Weltcup nach Mexiko und zur WM auf Madeira. Danach eine Woche Pause. Countdown für Athen: acht Wochen Ausdauerblock, danach intensive Vorbereitung mit zwei Höhentrainingslagern in der Sierra Nevada, letzte Woche Akklimatisation auf Sizilien.
**Mentale Tricks:** „Brauch ich keine." Stimmt, denn Trainer Martin Schnitzer erzählt: „Wenn es draußen bei 5 Grad schüttet, und es stehen fünf Stunden Radeln an, dann ruft Allen an und fragt mich nur, mit welcher Pulsfrequenz sie heute unterwegs sein soll."

## Eine Trainingswoche

Jetzt interessiert uns natürlich, wie eine durchschnittliche Trainingswoche für die Kurzdistanz aussieht. So:

In der Wechselzone wird das Rad kurzfristig geschoben.

**Montag:** Regenerationstag. Eineinhalb Stunden locker Schwimmen, etwas auf die Technik achten.

**Dienstag:** Vormittag 90 Min. Schwimmen, Ausdauerbereich. Nachmittag Laufen: 1:15 Std., davon 30 Min. Ausdauer, 30 Min. Schnelligkeit (15 x 1 Min. schnell, dazwischen regeneratives Traben). Auslaufen, Stretchen.

**Mittwoch:** Vormittag: 90 Min. Schwimmen, intensive Einheiten (10 x 50 m schnell oder 5 x 100 m schnell). Am Nachmittag stehen zweieinhalb Stunden Radeln am Programm; 45 Minuten Ausdauer, zwei- bis viermal intensive Abschnitte, dazwischen 10 Minuten locker. Im Anschluss wird (ohne Erholungspause) eine Stunde gelaufen.

**Donnerstag:** Vormittag zwei Stunden Radfahren, Ausdauer. Am Nachmittag 1:15 Laufen, Ausdauerbereich.

**Freitag:** Am Vormittag 90 Min. Schwimmen, Ausdauer, am Nachmittag zweieinhalb Stunden Radeln mit „Fahrtspiel" (nach Lust und Laune ab und zu einen Hügeln rauf, mal im Flachen eine schnellere Etappe).

**Samstag:** Vormittag eineinhalb Std. Schwimmen intensiv, Nachmittag eineinhalb Stunden Laufen (Ausdauer).

**Sonntag:** Vormittag 2 Std. Rad (Ausdauer), Nachmittag 45 Minuten regeneratives Auslaufen.

**Anmerkung:** Das ist das Programm für die Kurzdistanz. Bei der Vorbereitung für einen Ironman würde ein längerer Radausflug 4 bis 5 Stunden dauern, eine Laufeinheit etwa 2 Stunden, in der Woche wird dann 4 bis 5 Kilometer geschwommen. Hobbysportler können dieses Pensum freilich nicht erledigen. Die Regenerationszeit muss einberechnet werden. Kate Allen kam früher mit sechs Stunden Schlaf aus. Jetzt schläft sie 11 Stunden am Tag. Das ist gut so, Schlaf ist die beste Regeneration.

## TIPPS FÜR DEN ERSTEN TRIATHLON

**Schwimmen:** Ist zwar die erste Disziplin im Bewerb, aber nicht die wichtigste. Vor allem beim ersten Mal. Im Training nicht zu viel Zeit investieren, eher auf eine saubere Technik schauen. Und der Kraulstil ist nicht zwingend vorgeschrieben (ist allerdings der leichteste, in der Schule lernen wir trotzdem den Bruststil). Um die so genannte „lokale Kraftausdauer" möglichst schnell heranzubilden, empfiehlt sich ein „Intervall"-Schwimmtraining: Ein paar Längen schwimmen, dann wieder eine kurze Pause.

**Rad:** Bisherige „Nur-Läufer" werden erstaunliche Fortschritte bemerken. Am besten die langen Einheiten von der Laufstrecke auf das Rad verlegen. Dadurch wird der Puls runtergeholt, die Beinmuskulatur entlastet. Bei den Radausflügen darauf achten, dass der Puls rund 10 Schläge unter dem Laufpuls bleibt (unter dem Long-Jog-Puls). Also kaum über die 120. Das Wichtigste ist die „Gewöhnung an das Gerät". Wer sich einen Tag vor dem ersten Bewerb einen Triathlonlenker kauft, riskiert arge Muskelverspannungen.

**Laufen:** Bisherige „Nur-Radler" sollten sich hier nicht allzu viel erwarten. Einige moderate, möglichst lange Läufe reichen. „Gewöhnung an das Gerät" ist auch hier angesagt. Bisher eingefleischte Läufer verschieben die langen Einheiten aufs Rad, können daher beim Laufen intensiver ans Werk gehen. Marcel Diechtler, Kate Allens Ehemann und Manager, selbst Triathlet, rät: „Im Bewerb nichts anwenden, was nicht im Training geprobt wurde." Angefangen beim Neoprenanzug über den Triathlonlenker bis zum Kohlehydratgetränk.

**Ausrüstung:** Die Materialschlacht macht auch vor Hobbysportlern nicht Halt. Aber wenn's nicht grad ein Waffenrad ist, tut es fürs Erste auch ein normales Trekkingrad. Denn im Training ist's egal, ob man mit einem High-Tech-Vehikel unterwegs ist oder mit einem durchschnittlichen Exemplar: Man könnte sogar sagen, je schlechter das Rad, umso besser der Trainingseffekt. Und ein Neoprenanzug muss beim ersten Triathlonversuch auch nicht sein. Vor allem auf der Kurzdistanz. Da kann das Ausziehen desselben mehr Zeit kosten, als das Ding unterwegs bringt.

**Gesund:** Ein Triathlon ist so ziemlich das Gesündeste, was einem Hobbysportler passieren kann. Laufen, Radeln und Schwimmen sind die gesündesten Sportarten. Und wer die drei gesündesten Sportarten kombiniert, kann nicht ganz falsch liegen.

## Rundherum High Tech

Gatte und Manager Marcel Diechtler ist also selbst Triathlet – und gar kein schlechter. Nach dem sensationellen Aufstieg in die Weltklasse hat er an Kates Marschplan für Athen gearbeitet.

**Ernährung.** Wer viel trainiert, verbrennt viel Energie. Am wichtigsten ist die Ernährung vor und nach dem Training. Vitamine, Mineralstoffe, Kohlenhydrate, Aminosäuren – das sind die Stoffe, die auf das Milligramm genau abgestimmt sein wollen. Dafür wurde Dr. Bram van Dam engagiert, der selbige Beratung auch für die königlichen Kicker von Real Madrid und für das Daviscup-Team Spaniens bewerkstelligt.

**Telemetrik.** Wir kennen es aus der Formel 1: Spritverbrauch, Motorleistung, alles wird per Datenhighway in die Box gefunkt. Auch bei Kate, wenn sie eine Radrunde dreht. Und die restlichen Daten werden von der Pulsuhr nach Trainingsende per SMS aufs Handy des Trainers geschickt.

**Laktat.** Um punktgenau trainieren zu können, hat Kate längst ein eigenes Laktatanalysegerät. Auf das Körpergefühl alleine verlässt man sich nicht. Und das Blut wird ständig auf Kreatinkinase untersucht, damit allfällige muskuläre Zerstörungen rechtzeitig erkannt werden, das Training allenfalls zurückgeschraubt werden kann.

**Trainingstempo.** Mit welchem Tempo trainiert Kate? – Da das Hauptaugenmerk der Ausdauer gilt, ziemlich langsam. Bei den längeren Radrunden zwischen 25 und 30 km/h, bei den Laufausflügen mit einer Kilometerzeit von 5 Minuten. Das ist für Hobbysportler besonders interessant, liegt ihre anaerobe Schwelle doch bei einer Kilometerzeit von 4:30 (!) – was wieder beweist, dass die meisten Hobbysportler viel zu schnell trainieren. Den Kates 10-km-Bestzeit im Laufen liegt bei 33 Minuten! Nicht gespart wird beim Triathlon-Bike: Es ist ganze 4.000 Euro wert.

**Historischer Zieleinlauf in Klagenfurt. Jetzt hat der Ironman ein Jahr Pause.**

# Und was ist wirklich gesund?

**Auf den nächsten Seiten kommen zwei Sportarten dran. Eine gilt als „gesund", die andere als „Kampfsport".**

Bücher soll man ja gliedern. Das haben wir gemacht. Zumindest versucht. Indem wir Ausdauersportarten und Funsportarten zusammengefasst haben. Dann blieben drei Sportarten übrig. Werner Schlager war nicht das Problem, denn als „regierenden" Sportler des Jahres haben wir ihn vor alle anderen gestellt. Wobei die Reihenfolge, in welcher sie drankommen, sowieso nicht als Wertung eingestuft werden darf.

**Fun.** Auch die Lisi Schrenk machte ein kleines Problem, denn sie betreibt nicht nur eine Funsportart, Skaten ist auch eine hervorragende Ausdauersportart. Wir haben sie trotzdem in der Abteilung „Fun" gelassen. Weil man das halt so assoziiert.

**Schwimmen.** Diese Sportart gilt als eine der gesündesten überhaupt. So wie Langlaufen auch. Schwimmen ist natürlich auch hauptsächlich

**Interessanterweise fangen die Menschen mit dem schwierigsten Stil, dem Brustschwimmen, an.**

eine Ausdauersportart. Da wir alle aber eher nur kurz schwimmen, kommt die so genannte „Kurzzeitausdauer" dazu, wie der Grazer Sportwissenschaftler Mag. Manuel Golda dazu sagt. Und er kennt sich aus beim Schwimmen, betreut er doch seit Jahren Judith Draxler, immer noch eine unserer stärksten Schwimmerinnen. Interessant dabei ist, dass wir das Schwimmen leider meist verkehrt herum lernen. Wir beginnen mit dem Brustschwimmen. Mirna Jukic empfiehlt, eher mit dem Kraulen zu beginnen. Sie steht mit dieser Meinung nicht alleine da. Auch Marcel Diechtler, angehender Arzt und Manager der Triathletin Kate Allen, meint, dass Kraulen viel einfacher ist als Brustschwimmen. Und eben viel gesünder. Aber das soll nur ein Gedankenanstoß sein.

**Judo.** Dass Judoka Claudia Heill auch in die Abteilung „Gesund" gerutscht ist, hat einen besonderen Grund: Kampfsportarten sind gesünder, als wir für gewöhnlich meinen wollen. Die Mönche im Fernen Osten wenden „Budo", das ist der Sammelbegriff für Judo & Co, seit Jahrtausenden zu Meditationszwecken an. Vielleicht sollten wir unsere Kinder das auch mal probieren lassen.

# Mirna Jukic, Schwimmen

# Wasserratte als Goldfisch

**Mirna Jukic war schon als Kind kaum aus dem Wasser zu bringen. Daher schwimmt sie besser als andere.**

## PERSÖNLICHE DATEN

**Name:** Mirna Jukic
**Geb.:** 9. 4.1986
**In:** Vukovac
**Wohnhaft:** Wien
**Fam.-Stand:** Ledig
**Hobbys:** Musik, Inlineskaten, Freunde treffen, Volleyball
**Lieblingsbuch:** Kein spezielles, generell Krimis
**Lieblingsfilme:** „Honey", „American Pie"
**Lebensmotto:** Glaube an dich und deine Ziele
**Fanpost:** Gästebuch auf Website
**Homepage:** www.mirnajukic.com

**Glücksbringer.** Einst schwamm Mirna immer mit derselben, roten Badehaube. Bis sie kaputtging. „Jetzt schwimme ich mit weißen oder schwarzen und werde immer noch immer schneller", schmunzelt sie.

**Regeneration.** Zwischen den Bewerben erholt sich der Goldfisch am liebsten im Liegen. „Ich liege im Bett und entspanne mich. Ich lasse mich von irgendwelchen Charts berieseln oder plaudere mit Fabienne Nadarajah, mit der ich meist das Zimmer teile. Wir verstehen uns sehr gut, und das ist natürlich auch sehr erholsam."

**Talent.** Talent hat der Jungstar offensichtlich reichlich. Aber wie bei einem Musiker ist das ganz einfach die Voraussetzung, dass die Arbeit greift. „Schwimmen ist zu 90 Prozent Arbeit", behauptet nämlich Trainervater Zeljko Jukic. Denn der Begriff „Wunderkind" ist ihm ebenso fremd wie „Schwimmmaschine".

**Persönlichkeit.** Der Erfolg liegt seiner Meinung nach in der Persönlichkeit von Mirna begründet: Die Reife, die Zielstrebigkeit und die Arbeitseinstellung sind einfach rekordverdächtig. „Ich bin ja noch jung", schwächte sie ab, als bei der letzten WM nichts wurde aus der – vor allem von der Öffentlichkeit – erhofften Medaille.

**Technik.** Gute Technik spart Kraft. Das ist in jeder Sportart so, und Mirna hat eine besonders gute Technik, daher ist sie besonders schnell. Sie schwimmt mit langen, raumgreifenden Zügen und spart damit Kraft. Die ihr aufgrund der Jugend noch ein wenig fehlt. Und daher wird sie weiterhin immer schneller werden.

KARRIERE

**Warum gerade diese Sportart?**
„Ich war schon als Kind nicht aus dem Wasser zu bringen." Also hat sich die Schwimmkarriere ganz von alleine ergeben.

**Die größten Erfolge:**
Die Siegerliste ist ziemlich lang: Es begann mit drei Goldmedaillen (50 m, 100 m, 200 m) 2001 bei der Jugend-EM auf Malta. Und noch im selben Jahr zwei Silberne bei der Kurzbahn-EM in Antwerpen – schon bei den „Großen" – und das im zarten Alter von 15 Jahren.
2002 ging der Medaillenregen weiter: Bronze bei der Kurzbahn-WM in Moskau, zweimal Gold bei der Jugend-EM in Linz (200 m, 100 m), Gold bei der Langbahn-EM in Berlin (200 m), Gold und Silber bei der Kurzbahn-WM in Riesa (auch wieder bei den „Großen").
2003 stehen der Kurzbahn-Europameistertitel über 200 Meter und die Bronzene über 100 Meter zu Buche. Sowie Siege bei mehreren Weltcup-meetings.

**Die größte Enttäuschung:**
Für die Öffentlichkeit war das die medaillenlose WM in Barcelona. Aber so tragisch nahm sie das selber nicht. „Ich weiß, dass es immer wieder Rückschläge geben kann. Aber ich bin ja noch so jung, ich kann noch so viel gewinnen."

# Rückschläge sind normal

**„Niederlagen" – so sie überhaupt welche sind – können Goldfisch Mirna nicht wirklich erschüttern.**

Was Hobbyschwimmer brennend interessiert: Schluckt auch eine Mirna Jukic im Training oder im Rennen mal ein Schlückchen Wasser? „Im Training schon, denn da sind ja viele Leute im Becken, da entstehen Wellen. Im Rennen passiert das so gut wie nie." Ist ja auch logisch: Da ist Mirna meist vorne, hat ruhiges Wasser zur Verfügung.
**Die Gegner.** Wie ist das bei einem Rennen – schaut man da auf die Konkurrenz? Mirna: „Nein – ich schaue ganz allein auf mich, ziehe meine Sache durch. Ich glaube,

## EIN TRAININGSTAG

Der beginnt um 7.15 Uhr mit dem Aufstehen. Dann gibt's Frühstück, anschließend geht's ins Wasser. Diese Einheit dauert in der Regel von 8.30 Uhr bis 10 Uhr, danach gibt's Gymnastik, um 13 Uhr Mittagessen. Bis 16 Uhr ist dann Regeneration angesagt. „Ich lege mich auf jeden Fall nieder, wobei ich nicht unbedingt schlafe, aber die Regeneration ist sehr wichtig." Um 17 Uhr beginnt die zweite Aufwärmphase, meist wird gelaufen. Anschließend folgt bis 20 Uhr die zweite Wassereinheit. Dann wird gedehnt, gegessen – „und spätestens um 22 Uhr fallen mir die Augen zu".

## TRAINING & SCHULE

Viele Leute fragen sich, wie man es schafft, im Schwimmen Weltklasse zu sein und gleichzeitig auch noch ein Gymnasium zu besuchen. Und dort keine Probleme zu haben (ganz offensichtlich tut Bewegung also dem Geist gut). Mirna sieht das überhaupt ganz selbstverständlich: „Ich gehe ins BORG für Leistungssportler im 20. Bezirk, da ist der Stundenplan und das ganze Umfeld natürlich auf unser Training abgestimmt. Montag, Mittwoch, Freitag und Samstag trainiere ich nur am Nachmittag, Dienstag und Donnerstag auch Vormittag. Da geht es sich eigentlich gut aus, die Schule ist speziell für Leistungssportler ausgerichtet, ich habe also genug Zeit für das Training, das ich im Stadthallenbad absolviere."

**Trainingsinhalte:** „Die Kunst beim Schwimmen besteht darin, Ausdauer, Kraftausdauer und Techniktraining zu vereinen. Es hängt dann von der Wettkampf- und von der Vorbereitungsperiode ab, welche Spezialisierung gerade an der Reihe ist. Auf dem Ergometer trainiere ich kaum, ab und zu gehe ich laufen, vor allem bin ich eben im Wasser unterwegs. Und beim Krafttraining verzichte ich großteils auf Geräte und trainiere hauptsächlich mit meinem Körpergewicht."
(Das kann jeder Leser als heißen Tipp abspeichern.)

**Ein Lächeln vor dem Start irritiert vielleicht die Mitbewerberinnen.**

wenn ich nach rechts oder links schauen würde, käme ich bestimmt aus dem Rhythmus."

**Geldfrage.** Ein Fußballer von der Klasse der Mirna Jukic (sie stellt bekanntlich absolute Weltklasse dar) würde Millionen von Euro im Jahr verdienen. Wie sieht es denn da im Schwimmsport aus? „Bei einigen Meetings gibt es Preisgelder, anderswo wieder nicht. Aber ich schwimme allein wegen der Freude am Schwimmen. Zudem habe ich das Glück, einen beflügelnden Partner zu haben. Aber das ist natürlich alles leistungsbezogen. Wenn alles nach Plan klappt ..." Na ja, „Schwimmflügerl" werden es ja nicht sein, die sie bekommt. Aber Geld spielt in diesem Buch keine Rolle, wer hätte sich einen entsprechenden Lohn nicht eher verdient als Mirna?

**Trainervater.** Trainerväter haben ja nicht immer den besten Ruf. Vor allem „Eislaufmuttertypen". Es gibt aber auch Beispiele, wo alles bestens klappt, wie bei den „Tischtennis-Schlagers". Auch bei den Jukics klappt die Sache bestens. „Mein Vater ist mein Motivator. Stünde er nicht am

## TIPPS FÜR HOBBYSPORTLER

**Mirna:** „Also ich würde Hobbyschwimmern empfehlen, zuerst mit Rücken- und Kraulstil zu beginnen. Denn der Bruststil ist derart komplex, dass man da viele Fehler machen kann." Einer der häufigsten: das Hohlkreuz. Aber prinzipiell ist Schwimmen natürlich eine der gesündesten Sportarten überhaupt.

**Hobbybereich:** Anders als bei Läufern und Radlern gibt es im Schwimmbereich keine großen Veranstaltungen für Hobbysportler. Während in London, New York und Berlin 40.000 Hobbyläufer die City-Marathons bestreiten, beim Wasalauf oder beim Marcia Longa Zehntausende Langläufer den Profis nacheifern, ist beim Schwimmen Derartiges allein aus organisatorischen Gründen nicht möglich. Außer bei einem Triathlon (Tipps dazu bei Kate Allen, ab Seite 107).

**Ausdauer oder Kraft?** Schwimmen ist Ausdauersport, nicht Kraftsport. „Nur 20 bis 30 Prozent der Kraft werden beim Schwimmen eingesetzt", weiß Mag. Manuel Golda. Selbst bei einem 100-Meter-Bewerb geht es hauptsächlich um Ausdauer. „Kurzzeitausdauer" nennen die Experten dieses Phänomen.

**Technik:** Wie bei vielen Sportarten ist eine saubere Technik das Um und Auf. Besonders beim Schwimmen. Allein die Wasserlage kann viel bewirken: Je flacher man im Wasser liegt, umso weniger Widerstand baut sich auf. Gut üben kann man das im Urlaub am Meer: Das Salzwasser trägt besser als unsere Süßwässer, wenn man sich dann noch einen Schnorchel nimmt, kann man die Wasserlage herrlich üben. Ein Schwimmausflug von zwei Stunden ist dann überhaupt kein Problem mehr.

## Wertschätzung

Beckenrand, könnte ich wahrscheinlich nicht schwimmen. Zumindest nicht diese Leistung bringen. Während des Rennens sind irgendwelche Technik-Tipps natürlich nicht möglich, aber seine Einwirkung auf meine Psyche ist einfach phantastisch." Und die Taktik ist sowieso schon lange vor dem Rennen abgesprochen.

**Disziplin.** Zeljko Jukic ist also der Trainervater. Ein Besessener seines Fachs. Wie es sich für einen Kroaten „gehört", war er früher dem Ballspiel verhaftet, Basketball seine Profession. Und er schwärmt natürlich von seiner Tochter: „Ihre Reife, ihre Zielstrebigkeit und die Arbeitseinstellung sind schlicht weltrekordverdächtig." Gegenseitige Wertschätzung also. Mirna liebt übrigens Süßigkeiten, „werde aber selten schwach". Und mit Alkohol hat sie sowieso nichts am Hut, nur einmal erwischte sie „irrtümlich eine Rumkugel".

**Technik.** Disziplin allein kann das Erfolgsgeheimnis nicht sein. Zwar besteht auch im Schwimmsport der Erfolg zu 90 Prozent aus Arbeit, aber es ist schwer vorstellbar, dass die Konkurrenz nur ständig auf der faulen Haut liegt. Also könnte das Erfolgsgeheimnis zu einem Gutteil auch in der Technik begründet sein. Und so ist es: „Mirna schwimmt definitiv besser als der Rest der Welt. Ihr langer Armzug ist sehr ökonomisch, dadurch macht sie das altersbedingte Kraftdefizit jetzt schon wett." Der Konkurrenz blüht also noch einiges. Denn auch die Koordination zwischen Arm- und Beinarbeit ist perfekt, genauso wie die Wasserlage.

**Erwartungen.** Also erwartet sich ganz Österreich eine Medaille in Athen. „Wer von Mirna eine Medaille fix erwartet, der braucht Schwimmhilfe", meint Zeljko Jukic. Denn: „Die Luft an der Spitze ist äußerst dünn. Allein sechs Schwimmerinnen kämpfen um Gold. Und im Finale sind bekanntlich nur acht zugelassen." Zejlko Jukic: „Das Ziel ist mal das Finale. Alles andere wird sich weisen."

**Die Person:** Wie Claudia zum Judo kam und warum Hierarchie etwas Positives ist.
**Seite 126**

**Das Training:** Warum auch im Judo die Ausdauer so wichtig ist.
**Seite 128**

**Gsund:** Die Geschichte des Kampfsports – und warum er so gesund ist.
**Seite 131**

# Claudia Heill, Judo

# Faszination „ultimativer Wurf"

**Claudia Heill liebt Äktschn, weiß aber, dass Ausdauer sein muss, und ist fasziniert von der Hierarchie des Sports.**

### PERSÖNLICHE DATEN

**Name:** Claudia Heill
**Geb.:** 24. 1. 1982
**In:** Wien
**Wohnhaft:** Wien
**Fam.-Stand:** Ledig
**Kinder:** Keine
**Hobbys:** Lesen, Volleyball, Kino
**Lieblingsbuch/Autor:** Sehr viele, unter anderen Felix Mitterer und Haruki Murakami, dazu Reiseführer von vis-a-vis. Ich liebe es nämlich, andere Länder kennen zu lernen
**Lieblingsfilm:** Kinofilme aller Art, ob Liebesfilm, Actionfilm oder Literaturverfilmung
**Lebensmotto:** Es gibt niemanden, von dem du nichts lernen könntest
**Nach der Profikarriere:** Sportstudium, interessanten Beruf wählen, Familie mit Kindern, Haus und Hund
**Fanpost-E-Mail:** claudia.heill1@chello.at

Kampfsportarten sind nicht nur faszinierend für die Zuschauer, sondern auch wichtig für die Persönlichkeitsentwicklung. Das zeigen viele Beispiele, besonders im Judo. Wörtlich übersetzt heißt Judo nämlich „der sanfte Weg". Claudia Heill berichtet von Beispielen im Club, wo Kinder, die als Rowdys in Kurse kommen, als „Softies" wieder rausgehen. „Das liegt an der Hierarchie, die im Judo herrscht." Denn „der Mann mit dem schwarzen Gürtel" ist der unumstrittene Chef. Diese Rolle hat er allerdings nicht durch Protektion oder durch ein „Amt" oder einen „Titel", sondern eben durch Leistung erlangt. Und genau das fasziniert die Jugendlichen, sie suchen bekanntlich ständig nach Grenzen. Und nach Fachautorität.

**Farbenspiel.** Bis zum schwarzen Gürtel ist es ein breiter Weg: Weiß, Gelb, Orange, Grün, Blau, Braun – und dann kommt erst Schwarz. Natürlich darf Claudia bereits das schwarze Exemplar tragen. Beim schwarzen gibt es noch weitere Unterteilungen, auch da wäre Claudia ganz weit oben – „aber ich habe momentan keine Zeit, die entsprechenden Prüfungen zu machen".

**Jede Menge Zeit.** Dafür hat sie noch jede Menge Zeit, sich in der Weltspitze des Judo weiter zu etablieren. 22 ist sie erst, das beste Judo-Alter beginnt mit 28 Lebensjahren. „Weil da die Erfahrung dazukommt", ist die einfache Erklärung. Und da kann man eine verpatzte WM mit 21 schon verkraften. „Obwohl es natürlich lange wehgetan hat, denn ich war wirklich gut drauf. Und auch wenn man es in der Öffentlichkeit nicht gerne hört – es war Pech!"

**Warum gerade diese Sportart?**
Claudia liebte immer schon viel „Äktschn". Zudem hatte sie das Glück, schon in der Volksschule auf ihren jetzigen Trainer zu stoßen. „Heute weiß ich, dass mir die japanische Philosophie, die hohe taktische Anforderung und das Gefühl für den ultimativen Wurf den Kick geben."

**Die größten Erfolge:**
Claudia ist fünffache österreichische Meisterin, Junioren-Europameisterin und Junioren-Vizeweltmeisterin. Auch bei den Militärweltmeisterschaften gab es eine Silbermedaille. Dazu kommen noch drei Europameisterschafts-Medaillen: 2001 Silber, 2002 und 2003 jeweils eine Bronzemedaille. Und ein fünfter Platz bei den Weltmeisterschaften 2001. Fazit: Für ihr Alter eine ziemlich umfangreiche Sammlung, denn das beste Judo-Alter kommt um die 30 – wegen der gesammelten Routine.

**Enttäuschungen:**
Die WM 2003 hatte es in sich: gute Kämpfe gegen die stärksten Gegnerinnen, die es nur geben konnte (man könnte auch „Lospech" dazu sagen), trotzdem kam das Aus erst wegen eines einzigen, zu riskanten Angriffs im vierten Kampf. „Heute weiß ich, dass es wichtig ist, Enttäuschungen und Rückschläge in sportlicher Sicht einzustecken und zu verarbeiten." Beispiel: „Keine Fehler zu machen ist gar nicht möglich."

# Auf das Gewicht achten …

**Weil ein Wettkampftag sich ziehen kann, wird fleißig an der Ausdauer gearbeitet – aber eher ungern.**

Eigentlich liebt Claudia eher etwas Äktschn. Klar, das ist auch der Grund, warum sie zum Judo fand. Dennoch ist ein nicht wegzudenkender Teil des Trainings die Ausdauer. „Meine Kämpfe dauern zwar oft nur sehr kurz, der Wettkampftag aber doch ziemlich lang. Vorausgesetzt, man kann ins Finale vordringen. Und mit einer guten Ausdauer kann ich mich in den Pausen viel besser erholen." Sie hat ihre Lektion also sehr gut gelernt. Ein Wettkampftag dauert übrigens von der Abwaage um 6 Uhr früh bis zum Finale um 20 Uhr.

**Manchmal muss ein Trainer auch Trost spenden.**

**Gwichtln.** Im Judo gibt es bekanntlich Gewichtsklassen. Und da heißt's eben, aufs Gewicht zu achten („Gwichtln", sagt man landläufig). Claudia startet in der Klasse bis 63 Kilo, daher muss sie vor den Kämpfen meist etwas hungern. Aber warum startet man nicht einfach in der nächsten Gewichtsklasse? Claudia: „Na ja, man beginnt halt früh und wächst dann sozusagen in eine Klasse rein. Das hängt auch von der Körpergröße ab. Die nächste Klasse wäre die bis 70 Kilo, da wäre ich dann wieder die Leichteste, was ein großer Nachteil wäre."

**Schulsport.** Claudia kam über eine Schulaktion zum Judo. Schon damals traf sie auf ihren jetzigen Trainer, Hupo Rohrauer, mit dem sie bestens harmoniert, der so was wie ein väterlicher Freund, ein absoluter Vertrauensmann ist. „Solche Schulaktionen sind ungeheuer wichtig für den Sport. Gerade beim Judo – da werden aus Rowdys die frommsten Lämmer." Warum das? „Das hat mit der Disziplin zu tun. Während des Trainings wird kein Wort

## KÖRPERLICHES UND TRAINING

**Ruhepuls:** 40
**Maximalpuls:** 190
**Mentale Tricks:** „Also wenn's dir mal schlecht geht im Training und du nicht mehr weiterweißt, dann mach für einen Moment die Augen zu und denk an deine schlimmste Niederlage, und du wirst dich noch ein wenig mehr überwinden können!"
**Ernährung:** „Ich versuche mich ausgewogen zu ernähren und möglichst viel an natürlichen Produkten zu mir zu nehmen. Schokolade, Kuchen oder Schnitzel müssen nicht unbedingt völlig fehlen, schließlich lebt der Mensch nicht vom Brot allein."
**Nahrungsergänzungsmittel:** „Nahrungsergänzungsmittel finde ich persönlich schon wichtig, aber nur unter ärztlicher Aufsicht. Man sollte auf keinen Fall die mentale Einstellung darauf fixieren."

**Mein Tipp an Hobbysportler:** „Immer nur so lange und so viel trainieren, wie man drauf Lust hat. Alles andere belastet Körper und Psyche nur negativ."
**Technik:** „Ich versuche alle Übungen technisch sauber auszuführen. Dadurch lerne ich sie immer besser. Und habe dadurch auch keine gesundheitlichen Probleme."

## Der sanfte Weg

gesprochen, der Mann mit dem schwarzen Gürtel ist eine absolute Respektsperson, ein Gott." Dazu ist Judo auch eine ausgezeichnete Konzentrationsübung, wenn dann die ersten Würfe gelingen, kommt das Selbstvertrauen dazu. Und daher werden die Raufbolde zu Softies. Judokas sind ganz einfach gesellschaftsfähige, „leiwande" Typen. Judo heißt ja übersetzt „der sanfte Weg". Und die Begrüßung beim Training erfolgt selbstverständlich auf Japanisch. Weltweit.

**Periodisierung.** Nach dem letzten Wettkampf (das sind traditionellerweise die Militärweltmeisterschaften) macht Claudia zwei Wochen Urlaub. Und dann beginnt schon wieder der Ernst des Trainingslebens. Fünf Wochen lang gibt's zwei bis drei Ausdauereinheiten, das spezifische Judotraining läuft daneben ganz normal weiter (eine Standardeinheit ist zum Beispiel 3 mal 10 Minuten Bodenkampf. „Den liebe ich am wenigsten, ich bin eher süchtig nach dem ultimativen Wurf." Dann geht's regelmäßig zu einem Trainingslager in das Mutterland des Judo, also nach Japan. Dort stehen Testwettkämpfe auf dem Programm. Je näher die Wettkampfsaison rückt, umso intensiver wird das Training, die Kraftausdauer kommt dazu, die Ausdauer wird freilich immer wieder aufgefrischt (die verflüchtigt sich sonst). Diese Kraftausdauer holt sich Claudia bei intensiven 200- und 400-Meter-Läufen. „Die sind qualvoll, müssen aber sein, man braucht schließlich Wettkampfhärte." Ja, und wenn dann die ersten Weltcupturniere anstehen, geht's so richtig zur Sache, „da wird dann am Feinschliff gearbeitet". Schnellkrafttraining, Wettkampfsimulationen und so weiter stehen dann am Programm. Die letzte Vorbereitung scheint optimal gewesen zu sein, denn das Turnier in Leonding Ende Februar konnte Claudia bereits gewinnen und hat ihr Olympiaticket so gut wie fix in der Tasche.

### REGELN & TECHNIKEN

Es gibt drei Judo-Techniken: „Ukemi" ist die Technik des Fallens (vor-, rück- und seitwärts). „Nage-Waza" ist die Wurftechnik: Hand-, Hüft- und Fußwürfe sowie „Würfe beim zu Boden Gehen". „Katame-Waza" schließlich ist die Bodentechnik, also Halte-, Hebel- und Würgegriffe. Beim Wettkampf („Shiai") genügt ein „Ippon" für den Sieg. Einen Ippon kann ein Judoka erreichen durch: einen mit Schwung und Technik ausgeführten Wurf, ein 25 Sekunden langes Halten mit Haltegriff am Boden oder durch das Aufgeben des Gegners. Für kleinere Zwischenerfolge wie etwa einen Wurf aufs Gesäß oder einen Wurf auf die Seite gibt es abgestufte Bewertungspunkte, wie „Koka", „Juko" und „Waza-Ari".

## GESUNDHEITSFAKTOR KAMPFSPORT

**Historie:** Kampfsportarten wie Judo haben eine jahrtausendelange Tradition und dienten seit jeher dem Training von Körper und Geist. Mit Gewalt haben Judo & Co schon gar nichts am Hut. Und immer noch nennt man Fitness-Center auch „Fitness-Tempel". Jedenfalls dienten die verschiedensten Kampfsportarten den Mönchen zur körperlichen Ertüchtigung und Meditation.

**Judo:** Ist die populärste der japanischen Kampfsportarten. Über die genaue Herkunft gibt es keine verlässlichen Aufzeichnungen. Erwiesen ist, dass schon im 4. Jahrhundert n. Chr. regelmäßig Kampfveranstaltungen stattfanden, zu denen Teilnehmer aus allen Landesteilen anreisten. Der Ausgang der Kämpfe stellte gleichzeitig eine Prophezeiung für die Ernte dar. Man hält diese Kämpfe auch für Vorläufer für Sumo und Jiu-Jitsu. Wie schon erwähnt, heißt Judo „der sanfte Weg" – es geht demzufolge überhaupt nicht um eine Verletzung des Gegners oder um eine anderweitige „Außer-Gefecht-Setzung" (wie beim Boxen etwa), sondern darum, die Stärken des Gegners für sich auszunützen.

**Modernes Judo:** Ende des 19. Jahrhunderts lehrte an der kaiserlichen Universität Tokio der deutsche Mediziner Erwin Bälz. Dort sah er zufällig Vorführungen des Jiu-Jitsu-Lehrers Totsuka und des 18-jährigen Studenten Jigoro Kano. Letzterer war sehr kleinwüchsig und wurde von den Mitschülern mitunter tyrannisiert. Das brachte ihn auf die Idee, die ihm bekannten Kampftechniken zu optimieren, die einzelnen Vorzüge herauszufiltern. Jigoro Kano schaffte es schließlich, sein „Kodokan Judo" weiterzuverbreiten, weil er einfach überzeugt war, dass dies eine geeignete Methode sein könnte, jungen Leuten auf den rechten Weg zu helfen (siehe auch die Schilderungen von Claudia Heill). Jigoro Kano schaffte es schließlich, Präsident des Japanischen Olympischen Komitees zu werden und wurde Mitglied des Internationalen Olympischen Komitees.

**Olympisch:** Jigoro Kano unternahm viele Reisen rund um die Welt und warb für seine Sportart – sehr erfolgreich: Seit 1964 ist Judo eine olympische Disziplin.

**Gürtel:** Die verschiedenen Gürtel, vom weißen bis zum schwarzen, geben Auskunft darüber – nicht etwa, wie viele Gegner man schon „aufs Kreuz" gelegt hat, sondern – wie viele Übungen man schon erlernt hat und beherrscht.

**Budo:** Schon mal von einem „Budo-Center" gehört? Was geschieht dort? Ganz einfach: „Budo" ist der Sammelbegriff für fernöstliche Kampfsportarten.

Ovomaltine
OXYGEN

Red Bull

SALOMON
SAAB

Gösser
MASTERS

Red Bull
Ströck

# Funsport –

## und was zu beachten ist

**Nicht alles, was Spaß macht, ist auch gesund.**

**Skaten:** Eigentlich eine Mischung. Schult sowohl Ausdauer als auch die Koordination. Funsport kann also auch sehr gesund sein.

**Seite 135**

**Segeln & Beachen:** Wer nur beacht, sollte sich nicht wundern, wenn er Probleme mit dem Bewegungsapparat kriegt. Und Tornado ist sowieso teuflisch anstrengend.

**Seite 143**

**Schnee:** Boarder und Carver verbrauchen Kondition. Aber schaden tut's nicht, wenn man einen ganzen Tag an der frischen Luft ist.

**Seite 163**

**Golf:** Auch die „Altherren-Sportart" hat sich zum Leistungssport gewandelt.

**Seite 195**

# Risikofaktoren

**Bewegung ist immer gesund. Mal mehr, mal weniger.**

**Ungerecht.** Das Leben ist oft ungerecht! Was gut schmeckt, macht dick oder schlechte Zähne. Sportarten, die Spaß machen, provozieren Verletzungen oder schaden der Wirbelsäule oder den Gelenken. Oder sind unfallträchtig. Da sollen wir noch Freude daran haben? Andererseits: Wenn wir dauernd nur an den „worst case" denken – wie die Geschäftsleute –, dann kann man ja gar nix mehr unternehmen.

**Vorsorgen.** Man kann ja auch ein bisschen vorsorgen. Außerdem ist „Spaß" ein relatives Wort. Dem einen macht es tatsächlich Spaß, wöchentlich einen Drei-Stunden-Long-Jog zu machen. Oder eine fünfstündige Radtour. Diese Spezies braucht sich um Herz und Kreislauf keine großen Sorgen zu machen. Wer allerdings nach 12 Stunden vom Bürosessel aufhüpft und schnell noch eine Squashpartie einlegt, dem wird die Wirbelsäule bald mal ade sagen. Selbiges kann freilich auch dem eingefleischten Langstreckenläufer passieren. Egal, ob er auf Asphalt oder auf dem Waldboden rennt. Etwas Kräftigung muss schon sein. Schließlich werden die Wirbel der Wirbelsäule nur von der Rückenmuskulatur zusammengehalten. Und dass wir einen aufrechten Gang aufrechterhalten können, da sprechen auch die Bauchmuskeln ein gehöriges Wörtchen mit. Wenn sie entsprechend trainiert sind.

**Abwägen.** Also sollten wir abwägen, was wir sportiv alles anstellen. Es gibt natürlich auch gute Nachrichten: Nicht alles, was Spaß macht, ist schädlich und gefährlich, wie Lisi Schrenk glaubhaft erklärt: Inlineskaten etwa ist der Koordination und der Ausdauer gleichermaßen zuträglich. Gut, jedem macht's vielleicht nicht Spaß, aber viele haben's wohl auch noch nicht trainiert. Ich werde es in nächster Zeit probieren. Vielleicht hilft mir Lisi dabei ein bisschen.

**Die Person:** Elisabeth „Lisi" Schrenk ist eine äußerst kommunikative Frau.

Seite 136

**Das Training:** Ausdauer, Technik – sowie Boxen und Taktik.

Seite 138

**Dein Nutzen:** Inlineskaten hat eine „hohe Transferwirkung" auf andere Sportarten.

Seite 141

# Elisabeth Schrenk, Inline-Speedskating

# Eigentlich gar nicht erlaubt

**Alois Stadlober hat Lisi zum Weitermachen animiert. Und „Normalsterbliche" hätten vielleicht sogar Sportverbot.**

## PERSÖNLICHE DATEN

**Name:** Elisabeth Schrenk
**Geb.:** 24. 6. 1972
**In:** Wien
**Wohnhaft:** Faak am See, Flugzeug, Auto
**Fam.-Stand:** Ledig
**Hobbys:** (Wahre) Freunde treffen, dabei möglichst wenig über Sport reden – und: ohne schlechtes Gewissen ausgiebig faulenzen
**Lieblingsbuch/Autor:** „Das Tagebuch der Anne Frank" („hat mich am meisten berührt")
**Lieblingsfilm:** „Der Name der Rose" („einer der genialsten Filme")
**Lebensmotto:** Warte nie, bis du Zeit hast!
**Nach der Profikarriere:** Das verrate ich nicht – da bin ich zu abergläubisch
**Fanpost-E-Mail:** elisabeth-schrenk@chello.at
**Homepage:** www.elisabeth-schrenk.at

Verrückt ist die Welt – auch die des Sports. Lisi Schrenk beispielsweise hat eine „Oberschenkel-X-Bein-Achse" und eine „Unterschenkel-O-Bein-Achse". Ärzte sprechen da meist striktes Sportverbot aus. Für das Inlineskaten ist diese Beinstellung allerdings ideal. „Und ohne Sport hätte ich wahrscheinlich schon massive Probleme."

**Kommunikatorin.** „Lisi", wie sie weltweit gerufen wird (und sie ist tatsächlich viel unterwegs mit dem Salomon World Team), ist eine Gesellige. „Bei einem gemütlichen Abendessen kommt es auf das Feeling an, da ist es egal, wenn man nur die sprichwörtliche Packerlsuppe isst." Daher kann sie sich auch nicht vorstellen, auf eine einsame Insel auszuwandern. „Einsam ist man eh so schnell."

**Aha-Erlebnis.** Nach einer längeren Verletzungspause und darauf folgenden Motivationsproblemen „schleuste" sie Dieter Böhm 1999 als Betreuerin zur nordischen WM in der Ramsau ein. Dort holte Alois Stadlober Silber im Einzel und Gold in der Mannschaft – nach dem x-ten Versuch. „Das hat mir Motivation gegeben, nochmals durchzustarten. Weil ich gesehen habe, dass es nie zu spät ist."

**Höhen & Tiefen.** Immer wieder gab es Stürze, einmal gar in der Bobbahn von Königssee. Aber immer rappelte sie sich wieder auf. Mithilfe von Menschen, die an sie glaubten, sie motivierten: Trainer Alfred Kaiblinger und Ex-Salomon-Chef Bruno Rüdisüli erwähnt sie gern explizit. Sowie Magda Höller, Bella Dörfler und Bernd Polz, lauter Langzeitfreunde, die auch zur Stelle waren, wenn es Verletzungen und sonstige Tiefpunkte gab.

KARRIERE

**Warum gerade diese Sportart?**
„Wüsste ich auch gerne! Scherz beiseite – ich bin einfach reingewachsen." Am Anfang war es der pure Bewegungsdrang, dann kam die Faszination der Geschwindigkeit dazu. 1981 gab es auf einem Parkplatz im 22. Wiener Bezirk ein „internationales Rollschuhkriterium". Da kamen die Herren Willi Schodritz und Willi Havel daher und meinten: „De kaun des so guat – de muaβ zu an Verein."

**Die größten Erfolge:**
Sie hat eigentlich alles erreicht, was man als Skaterin erreichen kann: Österreichische Meisterin im Eisschnelllauf-Marathon (84 km), Sieg beim ersten Wiener Inline-Marathon 1999, 4 Marathon-Staatsmeistertitel, mehrfache Weltcupsiegerin Class II, zweimal Siegerin im Team-Weltcup, ebenso im Downhill-Europacup sowie im Downhill-Weltcup. Dazu kommen noch drei Downhill-Staatsmeistertitel, insgesamt mehr als 80 Staatsmeistertitel in Kurz- und Mittelstrecke und Marathon. Sowie Gold und Silber bei Downhill-Weltmeisterschaften.

**Die größte Enttäuschung:**
Skaten ist nicht ungefährlich: Sturz beim Einfahren zur EM 1992 in Sizilien. Es folgt eine zweijährige Pause, ein Jahr lang spürte Lisi ihr linkes Bein nicht. „Aber da hab ich erkannt, was wahre Freunde sind." Auch das Jahr 2003 ist zu streichen. Verletzung – Krankheit – Verletzung – und und und. Aber : Es gibt auch ein Jahr 2004.

# Boxen macht auch Spaß

**Die Trainingsmethoden der Elisabeth Schrenk: tägliches Boxtraining für mehr Durchsetzungskraft.**

„Bei unseren Rennen gibt es oft ganz schöne Positionskämpfe, da muss man schnell reagieren und sich durchsetzen können", erzählt Lisi – und begründet damit ihr tägliches Boxtraining. Und sie ist in Faak am See dabei bestens aufgehoben, ist doch Joe „Tiger" Pachler dort ihr „Kompaniechef". Nicht dass sie deshalb bei einem Marathon die Fäuste einsetzen würde. „Es geht eher um die mentale Durchsetzungskraft, außerdem kräftigt das Boxtraining den Oberkörper." Und ist gut für die Beinarbeit.

**Ausdauer.** Das Boxtraining ist freilich nicht der zentrale Punkt. Nur ein interessantes Detail am Rande. Denn auch beim Speedskaten ist die Grundlagenausdauer das Um und Auf. Tagtäglich gibt es daher einen längeren Radausflug. Ein ständiger Trainingspartner ist unter anderen Roland Garber, neben Franz Stocher Österreichs bester Bahnfahrer. Wenn Wetter und Witterung nicht mitspielen, gibt's am Abend eine eineinhalbstündige Ergometereinheit. „Dann steht der Ergometer eben vor dem Fernseher, und man nimmt gleich Information oder Unterhaltung auf."

**Auf Eis und Schnee.** „Wenn es dem Esel zu gut geht, begibt er sich aufs Eis", sagt ein Sprichwort. Für Lisi Schrenk ist es weniger Übermut, sondern die Verwandtschaft der Sportarten. Es ist exakt der gleiche Bewegungsablauf, nur das Sportgerät und der Untergrund wechseln. Daher stehen auch zwei Eismarathons auf Lisis Siegerliste. Ja, und Langlaufen steht ebenfalls fix am winterlichen Bewegungsplan. Was sich bekanntlich karriereverlängernd auswirkte.

**Wie Tour de France.** Bei den Weltcuprennen geht es ganz

**WETTKAMPFWOCHE**

Die Woche beginnt gewöhnlich mit der Rückreise vom Wettbewerb. Dienstag stehen dann zwei Trainingseinheiten an: lockeres Auslaufen und etwas Ausdauertraining. Mittwoch wird ebenfalls je zweimal trainiert, die Trainingseinheiten richten sich nach dem Strecken- und Anforderungsprofil des nächsten Wettbewerbes: Ist es hügelig, werden Hügel trainiert, ansonsten Intervalle (um die Ausreißversuche zu simulieren). Und so weiter. Freitag folgt dann meist die Anreise zum nächsten Event, Samstag gibt es vor Ort eine Streckenbesichtigung mit Taktikbesprechung. Am Sonntagabend dann den Wettbewerb. Und ab Montag beginnt das Spiel von vorne.

## KÖRPERLICHES UND TRAINING

**Ruhepuls:** 43 **Maximalpuls:** 195
**Ausdauer:** 60 %, **Kraftausdauer:** 20%, dazu Koordination und Technik, Wettkampfspezifisches.
**Anatomie:** Die eingangs geschilderte Beinstellung ist ein absoluter Vorteil, bei Marathons mit Steigungen ergibt sich durch Lisis Größe (dadurch schwerer) ein Nachteil.
**Periodisierung:** Die Periodisierung läuft wie in vielen anderen Sportarten ab: Nach der Saison gibt's einen Monat Pause, dann wird hauptsächlich die Ausdauer trainiert, je näher die Wettkämpfe rücken, umso intensiver wird's.
**Ein typischer Trainingstag in Faak am See:** Gegen sieben Uhr ist Tagwache. Um halb acht gibt's Standeskontrolle (beim Bundesheer eben üblich), dann wird gemeinsam gefrühstückt. Dann ist etwas administrativer Kram zu erledigen, manchmal gibt's Besprechungen. Dazu kommt dreimal wöchentlich etwas Boxtraining. Im Sommer wird auch vormittags geskatet. Nach der Mittagspause (da gibt's sehr oft aktive Regeneration mittels Elektrostimulation) stehen spezifische Übungen auf dem Programm: Mal etwas Kraftausdauer – „gottlob mit Blick auf den See" –, dann Imitationsübungen und so weiter. Ja, und nach dem Abendessen hockt sich Lisi zur Pflege der Ausdauer noch eineinhalb Stunden auf den Ergometer. „Lagerleiter" ist übrigens Boxlegende Joe „Tiger" Pachler. „Ein urnetter Typ, ich möchte ihn nicht missen."

## Faszination Marathon

schön zur Sache. „Wir sind, wie die Radfahrer bei der Tour de France, mittlerweile mittels Headset vernetzt, also per Funk mit der Teamleitung in Kontakt." Gibt es einen Ausreißversuch einer Teamkollegin, wird geblockt, damit keine Gegnerinnen nachsetzen. Reißt eine Gegnerin aus, versucht man natürlich, diese einzuholen. Von diesen taktischen Geplänkeln kriegt der zuschauende Laie natürlich nicht viel mit. Die Speedskater sind mit den 42 Kilometern übrigens in einer guten Stunde fertig.

**Fußvolk.** Meist werden Speed-Marathons ja im Rahmen von City-Marathons ausgetragen. Die Skater starten als Erste, sie sind ja wesentlich schneller. In Wien hat das aus ebendiesen Gründen noch nicht geklappt – der prinzipielle Wille wäre vorhanden, die Streckenführung und die Rahmenbewerbe lassen es aber nicht zu. „Das Schöne an solchen Veranstaltungen ist, dass Profis und Hobbysportler gemeinsam an den Start gehen." Die Elite hat natürlich jeweils ein reserviertes Startareal, aber alle, der Sieger wie auch der Allerletzte, erbringen die gleiche Leistung.

**2003.** Dieses Jahr war ein durchwachsenes: „Im April kämpfte ich mit Magenblutungen, beim Hamburg-Marathon erlitt ich einen Einriss des Quadrizeps. Im Juli schließlich diagnostizierte man Pfeiffer'sches Drüsenfieber, was aber doch wieder nicht stimmte." Nach einer Selbsttherapie kaum genesen, donnert sie kurz darauf bei der Downhill-WM mit 70 km/h in eine Absperrung – Diagnose: Kreuzbeinbruch. Am 10 Juli (also wenige Tage nach dem Crash) nimmt sie das Training wieder auf – „denn beim lockeren Skaten hatte ich eh noch die geringsten Schmerzen". Am 15. August gab's dann in Innsbruck schon wieder einen Weltcupsieg, an den nächsten beiden Tagen heimste sie alle österreichischen Meistertitel ein.

**Vorschau.** Was wird 2004 kommen? „2003 vergessen, konzentriert weiterarbeiten und Freude haben am Sport."

### SKATINGSCHULE

Schon vor dem Start der Profikarriere hat Elisabeth Schrenk eine Skatingschule, die „Austrian Inlineskating Academy" (AIA), gegründet. „Ich wollte das Skaten in Österreich richtig populär machen." Vor allem das richtige und vor allem sichere Skaten. Das ist auch ziemlich gut gelungen, mehr als 130.000 Teilnehmerinnen haben bisher ihre Tipps in Anspruch genommen. Teilweise auch über Schulprojekte, was besonders erfreulich ist – schließlich sollte man die richtige Technik schon möglichst früh erlernen.

## TIPPS FÜR HOBBYSPORTLER

**Inlineskating** bietet hohe Transferwirkungen auf andere Sportarten: Neben der Ausdauer wird auch die Koordination geschult, durch Kurvenfahren, verschiedene Tricks und Sprünge wird das Gleichgewichtsgefühl geschult.

**Meine Technik-Tipps:** Wenn du wirklich gut und sicher Skaten können willst, solltest du dir drei wichtige Dinge aneignen: erstens auf einem Bein fahren, zweitens springen und drittens auf der Außenkante der Rollen fahren lernen. Denn: Wenn du richtig Speed draufkriegen willst, musst du dein Körpergewicht extrem verlagern, dadurch kommt die Außenkante ins Spiel. Das Springen bringt dir vor allem Sicherheit: Es kann ja jederzeit ein kleines Hindernis auf der Straße lauern – ein heruntergefallener Ast beispielsweise.

**Abdruck:** Die so genannte „Powerbox" ist eine imaginäre Fläche, auf welcher der optimale Abdruck durch Verlagerung des Körpergewichtes auf das Gleitbein erfolgt. Dazu drückst du das Spielbein nicht nach hinten, sondern im rechten Winkel zur Seite, damit der Druck auf alle (vier oder fünf) Rollen kommt.

**Gleitbein:** Auf dieses lagerst du nach dem Abdruck dein ganzes Gewicht. In dieser Gleitphase achtest du, dass Ferse und Ballen gleich belastet sind.

**Doublepush:** Funktioniert so ähnlich wie das Fahren auf beiden Schiern beim Carven. Beherrschen die wenigsten.

**Was du von Lisi abkupfern kannst:** Scheinbar verrückte Einheiten wie das Boxtraining wird sich ein Hobbysportler rein zeitlich nicht leisten können. Es signalisiert aber: „Abwechslung macht das Leben süß." Dass Lisi in der kalten Jahreszeit Wintersportarten wie Lang- und Eislaufen betreibt, ist ebenfalls nachahmenswert. Langlaufen ist bekanntlich die gesündeste Sportart überhaupt, also auch für Läufer, Radler und andere empfehlenswert.

**Ausgleich:** Skaten – man muss dabei ja nicht so rasant unterwegs sein wie Lisi – ist für „eingefleischte" Radler und Läufer ein sehr guter Ausgleich: Die Rumpfmuskulatur wird gekräftigt, das Dahingleiten schont die Gelenke, und es werden Muskelpartien trainiert, die mit Radeln und Laufen nicht erreicht werden.

**Ausrüstung:** Helm, Brille, Ellbogen-, Handgelenks- und Knieschützer sollten eine Selbstverständlichkeit sein.

Der neue Citroën C2.
Schön sportlich.
CITROËN
Verbrauch: 4,1 - 6,3 l/100 km
$CO_2$-Emission: 108 - 151 g/km
CITROËN empfiehlt TOTAL
www.citroen.at
NICHTS BEWEGT SIE WIE EIN CITROËN

**Die Personen:** Wie sie zueinander fanden und warum es so gut läuft.
Seite 144

**Das Training:** Die Zeit ist knapp – der Trost: auch bei den Konkurrenzteams.
Seite 146

**Dein Nutzen:** Es ist wohl die Leidenschaft zum Sport, die vorbildlich ist. Denn reich werden können Segler nicht.
Seite 151

# Roman Hagara & Hans Peter Steinacher, Segeln (Tornado)

# Die mit dem Wind spielen

**Schon mal gegen den Strom geschwommen? Oder gegen den Wind gesegelt? Geht gar nicht so einfach.**

## PERSÖNLICHE DATEN

**Name:** Roman Hagara
**Geb.:** 30. 4. 1966
**In:** Wien
**Wohnhaft:** Wien
**Fam.-Stand:** Ledig
**Kinder:** Keine
**Hobbys:** Mountainbiken, Schifahren, Holzverarbeitung
**Lieblingsfilm:** „Forrest Gump"
**Lieblingsurlaubsort:** Bermudas
**Lieblingsspeise/Getränk:** Erdäpfel aller Art, Johannisbeersaft gespritzt
**Fanpost-E-Mail:** r.hagara@sailing.or.at
**Homepage:** www.hagara-steinacher.at

„Das ganze Jahr Schifferl fahren, immer am Meer unterwegs" – so ungefähr stellt man sich den Job von Roman Hagara und Hans Peter Steinacher vor. Das läuft natürlich ganz anders. Nämlich viel stressiger.

**Änderungen.** Zumal das Reglement immer wieder Überraschungen parat hat. So wurde im März 2001 ein völliger Umbau der Boote notwendig: Ein Tornado hat seither drei Segel. Das soll den Sport spektakulärer machen – vor allem für die TV-Zuseher. Der Materialvorsprung des Duos war mit einem Schlag dahin.

**Flügel.** Der Hauptsponsor verleiht den beiden Ausnahmeathleten glücklicherweise zusätzlich Flügel. „Ohne Red Bull gäbe es in Österreich wohl einige Sportarten überhaupt nicht mehr", betont Roman Hagara. In den Medien findet man die beiden eher selten – sie sind ja auch die meiste Zeit über auf den Weltmeeren unterwegs. Und „Seitenblicke"-Auftritte sind beider Sache nicht.

**Kongenial.** Hans Peter Steinacher hatte seine Segelkarriere schon beendet gehabt, als Roman ihn 1997 auf ein gemeinsames Abenteuer ansprach. Hagara/Hagara hatten sich ja schon 1992 getrennt („Ich bin als Vorschoter einfach zu schmächtig, Andreas und ich wären auf Dauer nicht mehr konkurrenzfähig geblieben"), und Roman suchte nach dem idealen Vorschoter. In Hans Peter Steinacher hat der „Jung-Steuermann" diesen gefunden: groß, kräftig, athletisch gut ausgebildet. „Die Zeit in der Schihandelsschule in Schladming nützt mir immer noch. Wegen der guten allgemeinen sportlichen Ausbildung." Und Roman beschäftigte sich von Kindesbeinen an mit dem Wind. Die beiden ergänzen sich auch außerhalb ihres Bootes bestens. Roman, der ruhige und bescheidene Tüftler, sorgt für perfektes Material. Der etwas lebendigere Hans Peter bewerkstelligt als gelernter Geschäftsmann die finanziellen Angelegenheiten.

## PERSÖNLICHE DATEN

**Name:** Hans Peter Steinacher
**Geb.:** 9. 9.1968
**In:** Zell am See
**Wohnhaft:** Zell am See
**Fam.-Stand:** Verheiratet
**Kinder:** Zwei
**Hobbys:** Eishockey, Mountainbiken, Schifahren
**Lieblingsfilm:** „JFK"
**Lieblingsmusik:** Phil Collins
**Lieblingsurlaubsort:** Toskana
**Lieblingsspeise/Getränk:** Gefüllte Paprika, Bier
**Fanpost-E-Mail:** hp.steinacher@aon.at
**Homepage:** www.hagara-steinacher.at

# Fehlervermeidungsexpedition

**Olympia steht vor der Tür. Fünf Gold-Favoriten und zehn Medaillenanwärter wollen möglichst wenig Fehler machen.**

## DAS BOOT

Der Tornado ist, wie der Name schon verrät, das spektakulärste Boot im olympischen Segelsport. Spitzengeschwindigkeiten von 60 km/h werden durch die Änderung der Konstruktion mittlerweile erreicht, die extreme Schräglage ist oft wahrlich atemberaubend. Der Tornado ist ein Katamaran, hat also zwei Rümpfe. Was ihm die notwendige Stabilität verleiht. Fast 50 Quadratmeter Segelfläche bei nur 165 kg „Kampfgewicht" führen zu diesem unglaublichen Speed. War der Tornado in den 60er Jahren noch aus Sperrholz, ist er jetzt ein High-Tech-Gerät aus Glasfiber und Karbon. Also eine weitere Parallele zum Autorennsport.

Wenn man über die Ehre diskutieren will, könnte man sagen, dass der Olympiatitel am meisten zählt. Olympiasieger bleibt man nämlich für immer. Weltmeister nur für ein oder zwei Jahre, dann ist man Ex-Weltmeister. Sofern man nicht die nächste Weltmeisterschaft auch wieder gewinnt. Insofern können Roman Hagara und Hans Peter Steinacher beruhigt nach Athen segeln. Dennoch ist ein abermaliger Sieg das Ziel. Aber wie stellt man das an?

**Fehlerquote.** „Wer am wenigsten Fehler macht, der gewinnt" – so einfach ist das laut Hans Peter. Oder eben so schwer. Früher, da war die Fehlerquote wesentlich höher. „Mit meinem damaligen Steuermann Harald Vettermann war ich zwar immer der erste Herausforderer der Hagara-Brüder, aber für mehr als Rang 10 hat es international meist nicht gereicht." Er hatte daher die Karriere eigentlich schon an den Nagel gehängt, denn er musste für den Segelsport immer die Erlöse aus seinem Reifenhandel in Zell/See zuschießen. „Leben kannst du vom Segeln nur, wenn du der Beste bist." Momentan lebt sich's.

**Revierspionage.** Der Aufwand ist beträchtlich. Stehen Großereignisse wie die Olympischen Spiele in Athen an, dann heißt es, fleißig zu spionieren. Mehrmals im Jahr wird vor Ort trainiert, um das „Revier", wie die Segler zur Wettkampfstätte sagen, kennen zu lernen. Nicht nur, damit man weiß, wie die Winde wehen. Auch die Meeresströmungen wollen erforscht werden.

**Fitness.** Um in diesem rasanten Sport Spitze zu sein, braucht man natürlich auch ausreichend viel Fitness.

KARRIERE

**Warum gerade diese Sportart?**
Roman Hagara ist am Wasser, konkret am Neusiedler See, aufgewachsen. „Wir waren die ersten Windsurfer dort.“ Dann kam das Segeln dazu. Kräftig unterstützt vom Vater, mit Bruder Andreas bildete er das legendäre Duo Hagara/Hagara. Hans Peter Steinacher war eher auf eine Schikarriere „programmiert“, wurde auch österreichischer Schülermeister, „als Ausgleich habe ich aber immer schon Segelsport betrieben“. Am Zeller See wehen ja ausreichend Westwinde. Hans Peter hatte seine Karriere schon beendet, das Comeback war eine richtige Entscheidung, wie die Erfolgsliste zeigt.

**Die größten (gemeinsamen) Erfolge:**
1997 also war das Geburtsjahr von „Hagara/Steinacher“. Als Einstand gab's gleich den Europameistertitel. 1999 folgte der WM-Titel, 2000 der Olympiasieg von Sydney, im gleichen Jahr feierten sie den EM-Titel und die Silberne bei der WM. 2001 gab es wieder EM-Gold und WM-Silber, nach dem kargen Jahr 2002 folgte 2003 EM-Silber.

**Die größte Enttäuschung:**
Die passieren am ehesten am Materialsektor. Monatelanges Tüfteln – wenn sich dann bei der ersten Wettfahrt herausstellt, dass man sich vergriffen oder verkalkuliert hat, ist eine ganze Saison dahin. So wie das eben im Jahr 2002 passierte.

# Getrennte Trainingswege

Eine Regatta ist schließlich kein Sonntagsausflug, wie man sich das als absoluter Laie vielleicht vorstellen könnte. Wer allerdings schon mal bei einem Segeltörn dabei war und zu einigen Handgriffen eingeteilt wurde, wird zu erzählen wissen, dass ihm am nächsten Tag alle Muskeln wehtaten. Und er die eine oder andere Sehnenscheidenentzündung davontrug. Wer um WM- und Olympiagold segelt, betreibt logischerweise lupenreinen Hochleistungssport.

**Ausdauer.** Wie bei allen anderen Sportarten auch, ist Ausdauer die Grundlage für alles weitere. Diese Ausdauer holen sich die beiden in den Monaten September, Oktober und Dezember. Ruderergometer, Radergometer, Laufen und vieles andere steht auf dem Programm. Romans Hauptlaufstrecke ist die Prater Hauptallee in Wien, Hans Peter streut immer wieder Bergtouren ein. „Das ist ideal, wenn man mehrere Stunden mit Puls 120 unterwegs ist." Beide sitzen auch noch gern auf dem Mountainbike.

**Einzelkämpfer.** Weil sie den Rest des Jahres eh dauernd auf engstem Raum zusammenpicken und die Wohnorte zudem geografisch zu weit entfernt sind, wird das Ausdauertraining getrennt vollzogen. Dazu kommt dann noch das Wassertraining, also verschiedene Testfahrten und das Kennenlernen der Regattareviere. Und etwas Krafttraining. Dazu muss die Ausdauer immer wieder aufgefrischt werden. „Wir sind ja oft sieben, acht Stunden auf dem Wasser, wer da nicht auf seine Grundlagenausdauer schaut, ist verloren", betonen die beiden unisono.

**Materialschlacht.** Segeln kann man getrost auch mit Motorsport vergleichen. „Eine falsche Materialentscheidung kann dir die ganze Saison zusammenhauen." Passiert ist das im Jahre 2002. Denn wer kein gutes Material hat, der kann noch so toll segeln können, er wird das Nachsehen haben. Aber auch die Kosten sind enorm: Ein Segel kostet

### SEGEL-EINMALEINS

**Gegen den Wind.** Segelregatten sind immer so angelegt, dass die Boote eine Strecke gegen den Wind, die andere mit dem Wind segeln müssen (ergibt sich aus den regionalen Gegebenheiten). Gegen den Wind ist dann ein Zickzackkurs nötig. Daher sagt man auch am Festland, dass da „jemand vor einem aufkreuzt". Und da müssen der Steuermann (Roman) und der Vorschoter (Hans Peter) natürlich ein eingespieltes Team sein. „Man bespricht sich zwar immer, aber oft sind Entscheidungen in Sekundenbruchteilen nötig. Und da entscheidet dann der Steuermann ganz allein", erklärt Roman die Rollenverteilung.

## KÖRPERLICHES UND TRAINING

**Anatomische Vorteile, Handicaps:** Handicaps haben die beiden keine – ganz im Gegenteil: Roman ist der ideale Steuermann, weil er erstens am Wasser aufgewachsen und zweitens nicht zu groß gewachsen ist. Hans Peter wiederum ist ein idealer Vorschoter: kräftig, robust. „Meine Körperausbildung in der Sporthauptschule Gastein und in der Schihandelsschule Schladming kommen mir als Vorschoter immer noch zugute."

**Training:**

**Periodisierung:** In der wettbewerbsfreien Zeit (Oktober bis Dezember) gibt's eine Ausdauerphase. Da werden mehrere Stunden täglich am Rad- und Ruderergometer verbracht, wird in der Prater Hauptallee oder am Zeller See gejoggt. Und dazwischen noch am Material getüftelt.

**Rest des Jahres:**

Hier halten sich Ausdauertraining, Krafttraining und Wassertraining die Waage – es wird also in etwa ein Drittel der Zeit für die jeweilige „Disziplin" aufgewandt.

**Sonstiges:** Tüfteleien am Material, Testfahrten, kennen lernen der Reviere.

**Ihre Ernährung:** Beide sind Kartoffelfreaks, was für Sportler vorbildlich ist (Kohlenhydrate), Hans Peter ist auch ein Freund der Hausmannskost, Roman dagegen Vegetarier.

**Nahrungsergänzungsmittel:** Zwischen den Wettfahrten gibt's Powerriegel, Wasser – welches mitunter 3:1 mit Red Bull gemischt wird.

**Die Schräglage ist erwünscht – und kostet einige Kraft.**

zwischen 700 und 2000 Euro, 15 Garnituren gehen schon mal beim Testen drauf.

**Ergänzung.** Warum funktionierte das neue Duo gleich von Anfang an so gut? Hans Peter: „Es ist wohl die Abstimmung. Jeder von uns beiden hat ein paar extrem gute Fähigkeiten, die sich mehr oder weniger perfekt ergänzen."

**Konkurrenten als Trainingspartner.** Jetzt drängt sich nur noch die Frage auf, wie ein Segelteam im Training weiß, wo es steht. Es gibt ja keine vergleichbaren Rundenzeiten, wie etwa in der Formel 1. „Dafür gründen wir Trainingsgemeinschaften", klärt Roman auf. Als Bruder Andreas mit Vorschoter Michael Seidl noch aktiv war, waren die beiden natürlich die beste „Messlatte". Seit der Materialrevolution 2001 wird verstärkt mit dem Argentinischen Duo Santiago Lange / Carlos Espinola trainiert. Carlos Espinola war früher übrigens ein erfolgreicher Windsurfer – er musste sich in Sydney nur Christoph Sieber geschlagen geben.

## WAS DU VON DEN BEIDEN LERNEN KANNST

**Training:** Segeln in Form von Wettbewerben ist Hochleistungssport – wie ein Marathon auch oder ein Abfahrtslauf oder ein Judobewerb. Die wichtigste Message ist wiederum: vorher Grundlagenausdauer, danach erst Kraft und Kraftausdauer. Und die Ausdauer immer wieder auffrischen, sonst geht sie verloren.

**Unsere Psycho-Tricks fürs Training:** Brauchen die beiden keine, sie haben ja fixe Ziele. Und diese fixen Ziele sind in Unterziele eingeteilt. Die werden konsequent verfolgt – mit Freude.

**Psycho-Tricks für Bewerbe:** Vor Großereignissen werden nicht alle Material-Tricks aufgedeckt. Allerdings auch nicht von der Konkurrenz.

**Was du von den beiden abkupfern kannst:** Auch unsere beiden Segler zeigen es: Ohne Ausdauer geht nix. Natürlich haben die beiden das nicht alleine erfunden, sie werden ja auch von Sportwissenschaftlern betreut. Und befolgen die Ratschläge – weil ihnen der Erfolg zu wichtig ist. Im Übrigen ist ein Ruderergometer ein ideales Trainingsgerät für Ausdauer und Kraftausdauer, speziell für die Rumpfmuskulatur. Landläufig geht das Gerücht um, Rudern wäre schlecht fürs Kreuz. Das stimmt nur, wenn du technische Fehler machst (etwa ein Hohlkreuz). Aber das ist bei vielen Sportarten so: schlecht ausgeführt, schaden sie mehr, als sie nützen.

Vorbildlich ist natürlich auch, dass die beiden die Ausdauer immer wieder auffrischen. Ist unter Profis natürlich keine Neuigkeit, Hobbysportler vergessen das leider gern.

**Die Personen:** Warum die beiden vom harten Parkett auf den weichen Sand wechselten.

Seite 154

**Das Training:** Eigentlich reicht die Zeit nie aus – zu vielfältig ist das „Beachen".

Seite 156

**Dein Nutzen:** Auch hier: Ausdauer ist der halbe Erfolg.

Seite 161

# Nik Berger & Clemens Doppler, Beachvolleyball

# Ziemlich große Sandmänner

**An die zwei Meter hoch ist jeder von den beiden – und sie verbringen viel Zeit in verschiedenen „Sandkästen“.**

## PERSÖNLICHE DATEN

**Name:** Nik Berger
**Geb.:** 18. 3.1974
**In:** Salzburg
**Wohnort:** Wien
**Fam.-Stand:** Verheiratet mit Katja
**Hobbys:** Familie, Musik, Kino
**Lieblingsbuch:** „Der Alchimist“ (Paulo Coelho)
**Lieblingsturnier:** Klagenfurt
**Lieblingsstadt:** Sydney
**Paradeschlag:** Annahme, Aufspiel
**Lebensmotto:** Überleg dir, was du tust, aber bereue nichts!
**Fanpost-E-Mail:** nik@berger-doppler.com
**Homepage:** www.berger-doppler.com

Man könnte salopp sagen, dass Nik und Clemens die beiden größten Sandmännchen des Landes sind. Ist aber nur ein Scherz, sie betreiben ihren Sport hochprofessionell. Will heißen, der Tag dreht sich hauptsächlich um ihren Sport. Wenn die Arbeitsplätze oft auch sehr angenehm sind – mal steigt eine WM an der Copa Cabana, dann wieder ein Turnier in Los Angeles –, Disziplin ist gefragt, auch bei solch coolen Typen.

**Gschichtl.** „Nimm deinen Job, aber nicht dich selbst allzu ernst" – das ist das Credo von Berger/Doppler. Und natürlich erzählt man sich auch das eine oder andere Gschichtl über die beiden. Legendär ist dabei der Spruch von Clemens auf die Frage, was er denn als Erstes von Nik, dem erfahrenen Beacher, gelernt hätte: „Wie man am schnellsten ein Dose Bier leer trinkt." Solche Übungen haben aber eher wenig Platz im dichten Programm.

**Talentierter Träumer.** Das Duo ist auch ein leibhaftiger Beweis, dass sich ungleiche Pole mitunter anziehen. Clemens, auf der Tour wegen seines Alters auch „Bambi" genannt, gilt einerseits als Supertalent („der wird bald der beste Beacher sein", ist der Tenor im Zirkus) und andererseits als Visionär. „Als Jugendlicher träumte ich davon, mal mit Nik spielen zu dürfen." Da Träume also doch ab und an in Erfüllung gehen, verspricht ein weiterer Doppler-Traum einiges: eine Medaille in Athen!

**Ruhepol und Wecker.** Nik Berger hat schon einige Erfahrung, hat zusammen mit Oliver Stamm die Beachvolleyball-Hysterie in Österreich losgetreten. Läuft es in einem Match mal nicht ganz rund, kommt ihm eine verantwortungsvolle Aufgabe zu: „Clemens neigt dazu, mit der Körpersprache den Gegnern seine psychische Verfassung zu verraten." Da bedarf es dann aufbauender Worte. Manchmal sind diese auch etwas lauter – „damit der Junge aufwacht".

## ZUR PERSON

## PERSÖNLICHE DATEN

**Name:** Clemens Doppler
**Geb.:** 6. 9.1980
**In:** Kirchdorf/OÖ
**Wohnort:** Wien
**Fam.-Stand:** Ledig
**Hobbys:**
Freunde, Musik, Kino
**Lieblingsbuch:** „Hot water music" (Charles Bukowski)
**Lieblingsturnier:** Klagenfurt
**Lieblingsstadt:** Steyr
**Lieblingsland:** Italien (neben Österreich)
**Paradeschlag:** Service
**Lebensmotto:** Alles, nur nicht: „Dabei sein ist alles"
**Fanpost-E-Mail:**
cdoppler@a1.net
**Homepage:**
www.berger-doppler.com

# Mehr als nur ein Modegag

**Beachen ist nicht bloß Spaß im Sand, sondern beinharter Leistungssport. Den ganzen lieben Tag lang.**

**Kein Modegag.** Als in den 90er Jahren Beachvolleyball bei uns – eben wegen der Erfolge von Nik Berger und Oliver Stamm, aber auch wegen des immer perfekt organisierten Turniers in Klagenfurt – richtig bekannt wurde, da glaubten viele an einen vorübergehenden Trend, einen Modegag. Doch die Sportart hält sich hartnäckig. Auch wegen der Typen, die sie propagieren. Und wie man am Trainingspensum sieht, ist das nicht irgendein g'spaßiges Rumgeschubse eines Balls in einem Sandkästchen, sondern Leistungssport pur.

**Ausdauer.** Auf dem Weg nach Athen vertrauen Nik und Clemens nur den besten Coaches. In Sachen Ausdauer ist das Dr. Bernd Pansold vom Red-Bull-Trainingszentrum in Thalgau (jedem Red-Bull-Athleten steht es frei, dieses Angebot zu nützen, oder eben nicht). Pansold sagte den beiden gleich mal: „Burschen, ohne Grundlagenausdauer könnt ihr weiteres Training gleich vergessen." Und so gehören zwei bis drei Stunden pro Tag dem Ergometer. Hauptsächlich. Denn Volleyballer laufen nicht gern, weil ihre Gelenke vor allem von der Indoor-Vergangenheit lädiert sind. Die vielen Sprünge, vor allem aber die Landungen hinterlassen deutliche Spuren. Nik hat sich erst bei der letzten WM im Knöchel mehrere Bänder verletzt, als er im Sechzehntelfinale umkippte (er war wegen einer Verkühlung nicht voll fit in den Bewerb gegangen, was das Verletzungsrisiko zusätzlich erhöht). Aber schon in der Halle hatte er sich in beiden Knöcheln Verletzungen zugezogen, im Knie war schon mal eine Arthroskopie nötig, und auch von einem Bandscheibenvorfall blieb er nicht verschont.

**Warum gerade diese Sportart?**

Clemens entspringt einer Volleyballer-Familie. Vater und Mutter spielten selbst, Vater Günther war lange Zeit auch Schiedsrichter. Nik kam in der Schule zum Sport, spielt seit dem 12. Lebensjahr, zum Beachvolleyball kam er während eines Studienaufenthaltes an der Manoa University (Hawaii). Als sich Nik von Oliver Stamm trennte, war Clemens mit seinem Ruf als größtes österreichisches Talent natürlich erste Wahl.

**Die größten Erfolge:**

Gemeinsam: Europameistertitel 2003, zweiter Platz in der Kategorie „Mannschaft" bei der Sportlerwahl des Jahres, Europas „Kings of the Beach". Dazu einige Halbfinale im Weltcup. Clemens brachte es trotz seiner Jugend bereits zu 60 Einsätzen in der Nationalmannschaft (Indoor), zu zwei Meistertiteln mit den Vienna Hotvolleys und war selbstverständlich der jüngste Spieler in der Liga (erster Einsatz mit 15). Nik brachte es auf vier Indoor-Meistertitel (Donaukraft Wien) dazu als einziger Österreicher 1996 zu einem Tripelsieg: Hallen- und Beachvolleyballmeister plus Cupsieger.

**Die größte Enttäuschung:**

Die WM 2003 in Rio. Aber nicht Niks Verletzung muss als Argument herhalten – „wir haben ganz einfach schlecht gespielt", zeigen die beiden auch Größe im Scheitern (17. Platz).

# Dabei sein ist viel zu wenig

**„Dabei sein ist alles – diesen Spruch kann ich überhaupt nicht leiden." Für Clemens Doppler gilt das „echte" olympische Motto, das bekanntlich lautet: schneller! höher! weiter!**

**Zeitproblem.** Und weil neben der Ausdauer auch noch etwas Kraft trainiert werden sollte (das wurde in der 2003er-Saison ein bisschen vernachlässigt, es gab prompt Probleme mit der Rückenmuskulatur und mit den Schultern) und auch noch runde drei Stunden Balltraining dazukommen, wird die Tageszeit knapp. „Da sind wir noch am Tüfteln", merkt Nik an. Denn mehr als bis zu sieben Stunden Training verträgt der Körper nicht.

**Wettkampfphase.** Die ist noch relativ kurz. Es gibt im Schnitt 12 Weltcupturniere, dazu jährlich eine EM, alle zwei Jahre eine WM und alle vier Jahre Olympische Spiele. „Das könnte mehr sein, Wettkämpfe sind bekanntlich ja das beste Training" – und so hoffen die beiden auf die Erschließung neuer Märkte. Derzeit dauert die Wettkampfphase im Schnitt von Mai bis September. Der „Rest" des Jahres ist Vorbereitung. Die beginnt in der Regel einen Monat nach dem letzten Wettbewerb. Eine heikle Angelegenheit, da gehört viel Disziplin dazu, eine derart lange Zeit konsequent an sich zu arbeiten. Tut man das nicht, kann das böse Folgen haben – denn in der Wettkampfsaison kann man nicht mehr wahnsinnig viel ändern.

**Wien & Meer.** Im Training braucht man auch Orientierung. Was die Fitness angeht, gibt's Laktatwerte und andere Parameter, der Wettkampf ist freilich wieder eine andere Sache. Und weil die beiden in Österreich eine eigene Liga darstellen, werden anderweitige Trainingsgemeinschaften geknüpft. In Rom beispielsweise organisiert das alles Coach Marco Solustri. Der hat dort eine eigene Beach-Schule laufen, aus der ganzen, weiten Welt reisen „Beacher" an. Und dann gab's ein Trainingslager in Rio, wo der halbe Tourtross anwesend war. Nicht, um voneinander abzukupfern, hauptsächlich deshalb, um zu schauen, wo man steht. Wird in Österreich trainiert, stehen zwei Locations zur Wahl: In Ottakring und im Prater gibt's jeweils

## KÖRPERLICHES UND TRAINING

**Laktatwerte:** Im Gegensatz zu den Ausdauersportlern sind Laktatwerte im Beachvolleyball wenig aussagekräftig (obwohl die beiden ja brav Ausdauer trainieren). Denn: Es gibt Gegner auf der Tour, die haben viel bessere Werte als die beiden, sind aber in der Weltrangliste und logischerweise bei den Turnieren hinter Berger/Doppler. Weil Berger/Doppler eben bessere Wettkämpfer sind.
**Anatomisches:** Beide haben die ideale Statur für Beacher: Nik ist 196 cm hoch (bei 88 kg), Clemens exakt 2 Meter bei 85 kg Körpergewicht.
**Training:**
**Ausdauer:** 30 Prozent
**Kraftausdauer, Stärkung der Rumpfmuskulatur:** 30 Prozent
**Ball- und Techniktraining:** 30 Prozent
**Periodisierung:** Nach der Saison gibt's mal drei, vier Wochen Pause. Dann kommt eine Phase des Ausdauertrainings, daneben wird aber natürlich auch mit dem Ball gearbeitet. „Eine etwas längere Wettkampfsaison wäre uns sehr recht. Schau ma mal, vielleicht ergeben sich ja neue Veranstaltungslocations", hoffen beide.
**Mentales:** „An sich glauben, aber auch Augen und Kopf frei haben für andere schöne Dinge im Leben."
**Ernährung:** „Nix Besonderes, wer sich so viel bewegt, steigt automatisch auf Spaghetti um – da schmeckt kein Schmalzbrot mehr."

Hallen mit einigen Beach-Plätzen, Nik und Clemens ziehen die Fun-Halle neben dem Dusika-Stadion vor.

**Abstand.** Damit sind wir aber auch schon wieder am Beginn der Geschichte. Und bei der Frage, wie man mit dem vielen Training umgeht. Solustri würde die beiden, wenn sie gerade in Rom sind, zwischen den Trainingseinheiten ja am liebsten von Museum zu Museum schleppen, sie alle möglichen Bücher lesen lassen und stundenlang mit den beiden philosophieren. „Viele Sportler neigen dazu, sich nur für ihren Sport zu interessieren. Das ist nicht gut, ich möchte bei den beiden auch Interesse für die Welt da draußen wecken." Da stößt er auf ziemlich offene Ohren bei Berger/Doppler.

**Glücksgriff.** Die Zusammenarbeit der beiden ist ein wahrer Glücksgriff, gegenseitige Wertschätzung steht an oberster Stelle. „Manchmal frag ich mich, wo dieser 23-jährige Jungspund die Coolness hernimmt, vor 10.000 kreischenden Fans den Olympiasiegern ein Ass ins Feld zu knallen", lobt Nik seinen Juniorpartner. Umgekehrt: „Der EM-Titel gehört Nik allein. Ich war physisch und psychisch völlig am Ende, er hat unermüdlich auf mich eingeredet, dass wir es schaffen werden." Da sind andere Gschichtln, wie jene, dass Clemens beinahe ein Vormittagsspiel verschlafen hätte und Nik einen derart sensiblen Schlaf hat, dass er sogar das Gras wachsen hört, eher Nebensache. Mittlerweile haben sie ja getrennte Zimmer auf der Tour.

**Gegner.** Die Gegner werden natürlich laufend per Video studiert, mit dem Trainer wird die Taktik besprochen. „Aber man muss trotzdem flexibel bleiben, die Gegner können ja auch urplötzlich die Taktik wechseln", umschreibt Clemens dieses Problem. Oder, anders gesagt, die Faszination. „Beim Beachen kann man sich auch nicht auswechseln lassen. Man muss sein Ding so gut wie möglich durchziehen" (O-Ton Nik).

## ERKENNTNISSE FÜR HOBBYSPORTLER

**Training:** Wer im Sommer die eine oder andere Beach-Gaudi-Partie spielt, merkt's: Der ganze Rücken und die Schultern tun weh. Sind ja ungewohnte Bewegungen. Das Gute an der Sache: Da merkt man, wie wichtig eine so genannte „multisportible" Betätigung in der Freizeit ist. Also nicht nur immer Laufen oder Radeln. Das macht einseitig, eine schlecht ausgebildete Rumpfmuskulatur (Bauch- und Rückenmuskeln) ist auch im (Büro-)Alltag ein Handicap. Beschwerden mit der Wirbelsäule nehmen unaufhörlich zu in den Industriestaaten. Und das hat böse Auswirkungen: Gerade im Wirbelsäulenbereich befinden sich Nervenwurzeln, welche zu verschiedenen Organen und Gliedmaßen führen. Hast du Probleme mit einem der Halswirbel, können auch unerklärliche Magenprobleme oder solche in der Armmuskulatur daraus resultieren. Ergo: Täglich ein paar Liegestütze, Klimmzüge und Sit-ups. Fitnessstudios mit allerlei Gerätschaft sind nicht unbedingt erforderlich, „das beste Gewicht ist das Körpergewicht", sagen Experten – so du nicht eklatant übergewichtig bist.

**Ernährung:** Wie alle Menschen, die sich viel bewegen, brauchen sich Nik und Clemens über die Ernährung nicht viel den Kopf zerbrechen. Einerseits verbrennen sie alles, was sie essen, zu Energie, andererseits kommt mit der Bewegung automatisch die Lust auf Kohlenhydrate und die Unlust auf einen fetten Schweinsbraten.

**Unsere Psycho-Tricks für Bewerbe:** Clemens neigt dazu, dem Gegner durch seine Körpersprache das jeweilige Befinden zu zeigen. Daran wird gearbeitet.

**Was du abkupfern kannst:** Als Erstes die Einstellung, zwar den Job, aber nicht sich selbst zu wichtig zu nehmen. Was aber eher für das Berufsleben als für die „Tätigkeit" als Hobbysportler gilt. Und natürlich die Einsicht, dass Ausdauer die Grundlage für die Fitness und in der Folge für den Erfolg ist. Aber das dürfte im Laufe des Buches ja schon klar geworden sein. Auch als Hobbysportler solltest du von Zeit zu Zeit Analysen anstellen. Wie Nik und Clemens auch, die ihre Rücken- und Schulterprobleme zum Anlass nahmen, ihre Rumpfmuskulatur für die nächste Saison mehr ins Blickfeld zu rücken.

Harald Sükar, Clemens Selzer, Toni Schutti, Geschäftsführer der Österreichischen Sporthilfe, und Staatssekretär Schweitzer bei der Verleihung der Urkunde für die Patenschaft

## Harald Sükar, Geschäftsführer von „Der Mann“, fördert den jungen Radsportler Clemens Selzer

Er war krank, er hatte Krebs, doch mit eisernem Willen besiegte er die Krankheit. Heute ist er nicht nur völlig gesund und leistungsfähig, sondern auch ein Top-Radfahrer. Wer nun an den Amerikaner Lance Armstrong denkt, irrt, die Rede ist vom achtzehnjährigen Radfahrer Clemens Selzer. Chemotherapie und Heimunterricht prägten früher seinen Alltag, und seine Chancen auf Heilung standen fünfzig zu fünfzig. Heute ist der bescheidene Wiener Besitzer von nicht weniger als sieben Goldmedaillen von Österreichischen Meisterschaften. Er führt in der Rangliste der österreichischen Bahnradfahrer und hat den österreichischen Bahnrekord über 1000 Meter um nur 0,02 Sekunden verfehlt. Bei der Weltmeisterschaft in diesem Jahr in Moskau erreichte er trotz seines jugendlichen Alters den zwölften Rang, womit er auch den Bundestrainer zum Staunen brachte, der ihn nun für weitere Weltcuprennen vorgesehen hat.

Diese besondere Geschichte eines erstaunlichen, jungen Mannes begeisterte nicht nur die Fachwelt, sondern auch den Geschäftsführer von „Der Mann“, Herrn Harald Sükar. Er ist von dem Willen und der Entschlossenheit von Clemens begeistert und wird nun im Rahmen des Mentoring-Projekts der Österreichischen Sporthilfe die Patenschaft für diesen talentierten Nachwuchssportler übernehmen.

**Die Person:** Ein Vater als Pionier, eine Musterkarriere, dann ein Kreuzbandriss.

Seite 164

**Einstellung:** Heidi ist durch die Verletzungen (vorerst) ein bisserl ernster geworden.

Seite 166

**Training:** Warum Heidi in Rif trainiert und nicht im heimatlichen Olympiastützpunkt.

Seite 169

# Heidi Krings, Snowboard

# Die Pioniere von Obertauern

**Heidi Krings ist das Snowboard fast in die Wiege gelegt. Der rasante Aufstieg wurde allerdings jäh unterbrochen.**

## PERSÖNLICHE DATEN

**Name:** Heidi Krings
**Geb.:** 30. 3.1983
**In:** Salzburg
**Wohnhaft:** Obertauern
**Fam.-Stand:** Ledig
**Kinder:** Keine
**Hobbys:** Golfen, Reiten, Schwimmen, Radeln, Mountainbike Downhill
**Lieblingsbuch/Autor:** „Die Wüstenblume“ (Waris Dirie)
**Lieblingsfilm:** „Herr der Ringe“
**Lebensmottos:** Jeder Tag ohne Lachen ist ein verlorener Tag. Akzeptiere die Herausforderung, und du kannst die Freude des Erfolges erfahren.
**Nach der Profikarriere:** „Möchte ich gerne im elterlichen Betrieb arbeiten – denn der Umgang mit Leuten ist mir sehr wichtig!“
**Fanpost-E-Mail:** heidi.krings@schladming.org

Der Vater der beiden „Board Sisters“ Doresia und Heidi Krings ist Liftunternehmer in Obertauern. Als die Boardwelle vor 15 Jahren Österreich erreichte, gab es bei den Seilbahnbetreibern helle Aufregung. Man überlegte ernsthaft, die Boarder von den Liften und Pisten fern zu halten. Manfred Krings tat das einzig Richtige: Er besorgte sich das „strittige“ Gerät, übte und testete höchstpersönlich, ob die Dinger nicht doch tauglich seien für Lift und Piste.

**Wandel.** Das war der Startschuss für die beiden Töchter Doresia und Heidi. Anfangs, da war ja Boarden nicht nur Sport, sondern eine Lebenseinstellung. So wie der Blues oder der Flamenco auch nicht bloß eine Musikrichtung sind. „Es wird jetzt zunehmend ernster, verbissener, aber wir sind im Vergleich zu anderen Welttourneen wohl noch immer ein vergleichsweise lustiger Haufen.“

**Schock I.** Am Ende der Saison 02/03 gab's dann einen großen Schock. Heidi hatte die ganze zweite Saisonhälfte über immer über Knieschmerzen geklagt. Bei den Rennen hielt die Konzentration den Schmerz in Grenzen. Erst nach Saisonende entschlossen sich Heidi, der Trainerstab und die Eltern, das Knie genau anschauen zu lassen. Die vorerst schockierende Diagnose: Kreuzbandriss. Passiert vermutlich 2 Monate zuvor bei einem Cross-Bewerb.

**Schock II.** Es wurde also schleunigst operiert, um bald wieder rennfähig zu sein. Dann der zweite Schock: „Nach zwei Wochen waren die Muskeln am operierten Bein weg.“ Der Schock war kurz, mittlerweile ist Heidi (fast) wieder das alte Sunny Girl – hm! – natürlich junge Sunny Girl!

KARRIERE

**Warum gerade diese Sportart?**

„Ich hab auch die Schi probiert, aber damals ging mir das Fahren auf der Kante ab. Daher kam nur das Board für mich infrage." Mittlerweile, gesteht sie, würde sie auch das Carven interessieren. „Das ist wie Boarden, aber eben auf zwei Carvern." Aber das ist jetzt zu spät, klar, wer Weltspitze ist, wechselt nimmer.

**Karrieren-Steno:**

Mehr oder weniger jedes Schülerrennen gewann Heidi, also ging's schnurstracks in den ÖSV-Kader. Im Europacup begann es dann wie bei den Schülerinnen: erstes Rennen, erster Sieg. Und das obwohl eine Reihe von Weltcupstars mit am Start waren. Das gab nicht nur Zusatzpunkte (ist eine spezielle Regelung), sondern gleich auch einen Platz im Weltcup. Also gab's Doppelbelastung, die Europacup-Gesamtwertung gewann sie selbstredend, dazu kamen mehrere Einzel-Weltcupsiege und unzählige Stockerlplätze (ein Sieg und zwei Podestplätze mit gerissenem Kreuzband).

**Enttäuschungen:**

Keine. Denn der Kreuzbandriss ist sozusagen „Schicksal", vielleicht eine wichtige Erfahrung für die weitere Karriere. Und dass es bei der WM nicht so lief, ist im Nachhinein eigentlich ziemlich logisch (obwohl sie den Kreuzbandriss gar nicht so stark gespürt hatte).

# Ruhe steigert den Ehrgeiz

**Es gibt schönere Sommer. Aber mit viel Geduld und Spucke hat Heidi ihr Knie wieder „eingerenkt“.**

**Übungen auf MFT-Geräten sind nicht nur nach Verletzungen gesund: Sie schulen das Gleichgewicht und kräftigen die Beinmuskulatur.**

„Es waren wichtige sechs Monate“, beschreibt Heidi Krings die Zeit nach der Operation. Vorher war nämlich alles „Juhu“. Immer nur Erfolg, immer nur Gaudi. „Der Ehrgeiz steigt allerdings, wenn du dich nicht mehr bewegen darfst.“

**Therapie.** Also war erst mal Therapie angesagt. Und Geduld. „Mindestens sechs Monate ausheilen, dann erst auf den Schnee“, sagten ihr die Ärzte. Sie hat das alles brav erledigt. Denn dass sie monatelang mit Schmerzen gefahren war, dabei einen Sieg und mehrere Stockerlplätze errang, ist zwar etwas Trost, aber von nun an hört sie mehr auf ihren Körper. „Ein ganzer Winter mit Schmerzen ist nicht so lustig.“ Wie Felix Gottwald trainiert sie im „Leistungssport Betreuungszentrum“ in Rif bei Salzburg. Auch Hans Knauss und viele andere Wintersportler haben sich dort einquartiert.

**Freie Natur.** Aber warum gerade Rif, wenn man schon in Obertauern zuhause ist und dort den Olympiastützpunkt und den Grünwaldsee vor der Haustür hat? „Ich liebe die freie Natur, ich gehe gern laufen und radeln. Aber nicht am Laufband oder am Ergometer, wie das im Olympiastützpunkt üblich ist, sondern wirklich im Freien.“ Und die ständigen Laktattests sind auch nicht wirklich lustig. Man kennt ja schließlich seinen Körper.

**Abwägen.** Was das Training anlangt, muss auch eine Snowboarderin einen Spagat wagen: Zu viel Kraft gefährdet die Spritzigkeit, und eine gehörige Portion Kraftausdauer braucht man auch. Ausdauer sowieso. „Aber davon habe ich ja beim Wiederaufbau ausreichend genossen.“

## KÖRPERLICHES UND TRAINING

**Rehab-Programm:** Der Sommer 2003 war für Heidi ein außergewöhnlicher, weil ja die Rehab für das Knie anstand. Die Beinmuskulatur musste mühsam und vorsichtig wieder aufgebaut werden, lange Zeit musste sie auf die geliebten Laufausflüge verzichten. „Bewegung ohne Belastung" ist in solchen Fällen ein gängiger Begriff. Die Belastung bezieht sich dabei auf das Kniegelenk. Der Urlaub war mit Schwimmen und Tauchen daher gleich auch eine gute Therapie.

Ein wesentlicher Bestandteil waren auch Übungen mit MFT-Geräten (Multi-Funktions-Training). Diese bringen nicht nur das Balance-Gefühl zurück, sondern kräftigen auch die Beinmuskulatur – ohne die Gelenke zu belasten.

**Anatomische Vorteile, Handicaps:** Heidi ist ein so genannter „Floh" – klein, zierlich, daher beim Speed etwas benachteiligt.

**Periodisierung:** Verläuft wie bei anderen Wintersportarten auch: Nach der Saison etwas Pause (oder Materialtests), den Sommer über gibt's hauptsächlich Ausdauer, zum Saisonstart hin wird's intensiver. Und Schneetraining kommt dazu. Wie bei Felix Stadler auch: Der Weltcup-Kalender ist „zerfleddert", also nicht ideal für einen kontinuierlichen Aufbau. Trost: Es geht allen Boardern gleich.

**Meine Ernährungstricks:** Wie alle KollegInnen achtet Heidi auf kohlenhydratreiche Ernährung mit viel Obst und Gemüse.

## Immer wieder frei fahren

Laufen, Radeln, Therapie, Koordinationsübungen, das war den Sommer über der übliche Tagesablauf.

**Das Feeling, „voll auf der Kante" zu fahren, lernt man am besten ohne Stangen.**

**Freifahren.** Heidi kam wegen des Carvens, also des Fahrens auf der Kante, zum Snowboarden. Die perfekte Kantentechnik übt Heidi, wie ihre Teamkolleginnen und Teamkollegen auch, vor allem beim Freifahren. „Da kann man sich auf die Technik konzentrieren", ist die einfache Begründung. Wenn an einem Trainingstag dann „Stangerln" angesagt sind, dann sind es mindestens neun Läufe. So lange dauert es, inklusive aller Ausscheidungsläufe, auch, bis man am obersten Stockerl stehen kann. Und dafür wiederum muss die Ausdauer trainiert werden. Wer die bessere Grundlagenausdauer aufweist, der regeneriert in den kurzen Pausen zwischen den Läufen besser. Und gewinnt dann Semifinale oder Finale. So einfach ist das. Aber: Diese Grundlagen werden schon im Sommer gelegt. Oder eben nicht.

**Universell.** Eigentlich ist Heidi auf den Gesamtweltcupsieg programmiert. Sie liebt alle drei „Alpinbewerbe" gleichermaßen: Parallelslalom, Parallelriesenslalom, Snowboardcross. Letzterer wurde im Vorjahr vernachlässigt, wegen der chronischen Knieschmerzen. Würde noch die Halfpipe fehlen, aber das wäre dann doch des Universellen zu viel. Hochinteressant wird's, wenn noch der „Damen Big Air" für die Gesamtwertung dazukommt. Aber das ist im Moment nur ein Gesprächsthema der Funktionäre. Was bei Gesprächen rauskommt, weiß man nie. Heidi jedenfalls würde es reizen, durch die Lüfte zu fliegen.

**Comeback.** Das verlief „nicht wirklich super". Ein 7. Platz im Riesenslalom von Tandadalen (Schweden) war noch die beste Ausbeute. „Dabei sind nicht die mäßigen Ergebnisse das Problem, sondern die immer noch auftretenden Schmerzen. Das ist einfach lästig." In der Sommerpause wird nochmals auskuriert – für einen erneuten Anlauf.

## TIPPS FÜR HOBBYSPORTLER

**Temporegulierung:** Beim Carven – also wenn man wirklich auf der Kante fährt, ist die beste Geschwindigkeitskontrolle das „Fahren gegen den Hang". Allerdings muss dann der Blick immer nach oben gerichtet sein. Denn es besteht bei solchen Manövern leider die Gefahr, mit nachkommenden Boardern oder Carvern zu kollidieren.

**Geschnittener Schwung:** Dafür wurden die Boards ja eigentlich gebaut. Den musst du dir durch Experimentieren selber aneignen, mit ein paar gedruckten Zeilen kann man das beim besten Willen nicht erklären. Prinzipiell kann man aber sagen, dass die Taillierung des Boards den geschnittenen Schwung ziemlich leicht macht. Du brauchst nur das Gewicht entsprechend zu verlagern, je mehr Schräglage, umso enger wird der Radius.

**Konditionsfragen:** Boarden ist eine Sportart, die mächtig Spaß macht. Aber einen Gesundheitswert in Form von Ausdauertraining bringen „Fun-Sportarten" leider nicht. Genauso wenig wie Alpinschi, Volleyball, Squash und andere. Sie verbrauchen ganz einfach Kondition, wie du im vorderen Teil des Buches nachlesen kannst. Daher gilt auch hier: Vorher Kondition „schinden". Wobei „schinden" ein völlig falscher Ausdruck ist. Du brauchst nur ein wenig Zeit in etwas Ausdauertraining investieren. Allerdings: Bis zum 18. Lebensjahr ist kaum Ausdauertraining nötig, da regelt der Körper alles selber. Sofern immer etwas Bewegung gemacht wird – Inlineskaten beispielsweise ist diesbezüglich wärmstens zu empfehlen.

**Was du von Heidi abschauen kannst:** Das Carven lernt man am besten beim Freifahren. Aber nicht auf steilen Pisten, sondern auf einfachen, gut präparierten, flachen Pisten. Hast du das Gefühl, total auf der Kante dahinzucarven, mal entdeckt – also gespürt –, lässt es dich sicher nicht mehr los. Zwischendurch kannst du ja immer wieder auf schwierigere Pisten wechseln.

**Was du von Heidi NICHT abkupfern solltest:** Vor allem solltest du nicht mit Schmerzen Sport betreiben. Dass ein Profi eine Saison zu Ende fährt, ist noch eher nachvollziehbar, nicht aber bei einem Hobbysportler. Die große Gefahr: Die Schmerzverträglichkeit steigt, und wie bei Heidi kann es dann passieren, dass ein Kreuzbandriss dann gar nicht bemerkt wird.

INTERSPORT
I feel good!
www.intersport.at

**Die Person:** Der Spätberufene bleibt auch bei Niederlagen cool.
Seite 172

**Einstellung:** Wenn ein neuer Trainer einen neuen Schwung mitbringt.
Seite 174

**Training:** Warum die Boarder eine so zerfledderte Saison fahren müssen.
Seite 177

# Felix Stadler, Snowboard

# Es ist nie zu spät im Leben

**Felix begann im zarten Alter von 25 Jahren, mit dem Board sein Geld zu verdienen. Und hat noch Reserven.**

## PERSÖNLICHE DATEN

**Name:** Felix Stadler
**Geb.:** 25. 6. 1972
**In:** Lunz/See
**Wohnhaft:** Lunz/See
**Fam.-Stand:** Ledig
**Kinder:** Keine
**Hobbys:** Kochen
**Lieblingsbuch/Autor:** „Plädoyer eines Irren" (von August Strindberg)
**Lieblingsfilm:** „Das Leben ist schön"
**Lebensmottos:** What goes around, comes around
**Nach der Profikarriere:** Berufskarriere, wahrscheinlich in der Gastronomie
**Fanpost-E-Mail:** fstadler@aon.at

Felix Stadler hat einen ziemlich untypischen Karriereverlauf. Zuerst Matura, dann Hotelfachschule. Geboardet hat er immer schon gern, aber erst beim Bundesheer kam er drauf, dass er dieses Brett, mit dem man so herrliche Spuren in einen Eishang schneiden kann, besonders gut beherrscht. Es folgten die ersten Rennversuche. Und erst mit 25 stieg er in den Profizirkus ein. Gerade in dem Jahr, als auch die FIS und der ÖSV erkannten, dass Snowboarder neben den Alpinen ein Recht haben auf Olympia.

**Umfeld.** Ein so perfektes Umfeld wie die Alpinen haben die Boarder in Österreich bei weitem nicht. Zu vielen Bewerben und zu den Trainingslagern wird mit dem Privat-Pkw gefahren. „Der Mannschaftsbus ist derart klapprig, dass man todmüde ankommen würde."

**Neuer Schwung.** „Ein neuer Trainer bringt neuen Schwung", heißt es. Für Österreichs Boardergarde traf dies gleich doppelt zu: Der neue Trainer wollte den Athleten einen neuen Schwung beibringen. Was durchwegs zu Verunsicherungen führte. Leider auch bei Felix. „Das dauert eine Weile – wenn man über Jahre einen bestimmten Schwung gefahren ist, schlittert man im Rennen immer wieder dahin zurück."

**Coolness.** Schlaflose Nächte bereitet ihm die eher verkorkste Saison nicht: „Ich weiß, dass ich boarden kann, manchmal läuft's halt nicht." Bei Felix hat sich so eine Art „spezielle Periodisierung" ergeben: Jede zweite Saison läuft gut, dazwischen wieder weniger gut. Was tun also? Felix: „Konsequent weiterarbeiten."

KARRIERE

**Warum gerade diese Sportart?**

„Eigentlich durch reinen Zufall. Ich boarderte eben immer schon gern, während der Bundesheerzeit kam ich drauf, dass ich es offenbar ziemlich gut kann."

**Karrieren-Steno:**

„Im Sommer arbeitete ich ganz normal in der Gastronomie, den Winter nützte ich fürs Boarden und stieg in den damaligen Profizirkus ein. Nach einem Jahr wurde der FIS-Snowboard-Weltcup eingeführt, ich sprach beim ÖSV vor und bekam einen Platz im Nationalteam." Es reichte zu einem österreichischen Meistertitel, elf Podiumsplätzen im Weltcup und einem dritten und einem vierten Rang in der Gesamtwertung. Felix ist nicht mehr der Jüngste, „da ich aber sehr spät mit dem Leistungssport begonnen habe, kann ich schon noch einige Jahre mithalten". Turin 2006 ist natürlich das erklärte Fernziel. „So lange es noch Spaß macht, werde ich sicher weitermachen."

**Enttäuschungen:**

„Dass ich noch nie bei Olympia dabei war. beim ersten Mal in Nagano war für uns Profis die Quali sehr schwer. Und scheiterte dann eben im letzten Durchgang. Und vor Salt Lake City hatte ich ganz einfach eine schlechte Phase. Dass es in den geraden Jahren nicht laufen will, ist schwer zu erklären. Ich boarde wie immer – mal läuft's, mal eben nicht."

# Alle zwei Jahre läuft's super

**Felix hat einen interessanten Rhythmus: Ein Jahr lang läuft's gut, im nächsten schlechter.**

Manchmal stehen Leistungssportler vor einem Rätsel: Es will einfach nicht laufen. Ein andermal wiederum geht alles von selbst. Felix kennt das. „Interessanterweise habe ich in Jahren mit Großereignissen meist ein schlechteres Jahr." Die Gründe weiß er nicht, „es macht auch nicht viel Sinn, allzu viel darüber nachzudenken. Denn dass ich boarden kann, das weiß ich nach wie vor."

**Modus.** Manchmal kann es ein neuer Austragungsmodus sein, der einen etwas durcheinander bringt. So wurde mit der Saison 2003/04 der Qualifikationsablauf geändert: Nicht K.-O.-System von Anfang an, sondern als Erstes einmal nur ein Durchgang. Dann fahren die besten 16 der roten Piste gegen die 16 besten der blauen. Dann werden die Zeiten addiert, und dann erst steigen wiederum die 16 Besten in das Finale auf. Felix ist offenbar eher ein „Mann gegen Mann"-Typ, verpasste daher nicht selten das Finale der letzten 16. Auch mit einer ausgefahrenen Piste kommt der eine besser zurecht als der andere.

**Rätsel.** Und so bleibt im Leistungssport mitunter ein Rätsel offen. Mal läuft's besser, mal weniger gut. Das Training hat sich kaum von den anderen Jahren unterschieden. Das passierte aber nicht nur Felix Stadler. Auch dem Dominator der Vorsaison, dem Franzosen Mathieu Bozzetto, erging es nicht besser. Der scheiterte nicht weniger als dreimal an dem neuen Startton, welchem neue Licht- und Tonsignale eingebaut wurden. So (schlecht) kann's gehen.

**Ausgeglichen.** Überhaupt ist das Feld ausgeglichener als je zuvor. Längst vorbei sind die Zeiten, als Martin Freinade-

**Spektakulär für das Publikum: Snowboardcross.**

## KÖRPERLICHES UND TRAINING

**Ruhepuls:** 42
**Maximalpuls:** 188
**Aerobe Schwelle:** 254 Watt bei 135 Puls
**Anaerobe Schwelle:** 312 Watt bei 159 Puls
**Anatomische Vorteile, Handicaps:** Keine
**Training (in Prozent): Ausdauer:** 20 Prozent
**Kraftausdauer:** 25 Prozent, **Kraft:** 20 Prozent
**Koordination:** 15 Prozent, **Boarden:** 20 Prozent
**Periodisierung:** Die ist etwas problematisch, weil der Rennkalender alles andere als optimal ist: Schon im Herbst geht's zu den ersten Rennen nach Chile, nach einem Monat Pause ist Sölden dran, dann gibt's abermals einen Monat Pause. „Dadurch wird die Ausdauerphase natürlich verkürzt, man muss Kompromisse schließen." Warum dieser Kalender? Das liegt ganz einfach am Hauptsponsor des Boarderweltcups, der will in Südamerika eben Mobiltelefone verkaufen.

**Mentales:** Auch wenn's schlecht läuft, positiv denken. „Ich kann eh gut boarden", denkt sich Felix auch in Zeiten, wo andere vielleicht eine Krise sehen. „Man trainiert ganz gewöhnlich, fühlt sich gut, ist aber trotzdem ein bisserl zu langsam." Klassische Diagnose: „Es läuft nicht."
**Meine Ernährungstricks:** Tricks gibt's keine, „aber ich esse vor allem biologische Vollwertkost" (auf der Planai gab's ein „Schifahrerpfandl" – Snowboardpfandl gibt's noch nicht).

**BOARDERKUNDE**

Der FIS-Weltcup besteht aus insgesamt vier Disziplinen: Die Disziplin „Parallel" besteht aus dem Slalom und dem Riesenslalom, dazu kommen Halfpipe, Snowboardcross und Big Air. Diese Disziplinen sind natürlich völlig verschieden, am ehesten passen noch Parallel und Cross zusammen (beim Crossbewerb starten vier Boarder gleichzeitig auf einer Art Super-G-Piste mit Sprüngen und anderen Hindernissen. Die zwei Schnellsten eines jeden Laufes steigen in die nächste Runde auf). Um in die Weltcup-Gesamtwertung zu kommen, muss in mindestens zwei Disziplinen gefahren werden. Meist wird also Parallel mit Cross und Halfpipe mit Big Air kombiniert.

## Spaß am Tun

metz jedes Rennen mit Sekundenvorsprung gewann und der Rest des Feldes sich nur um Platz zwei stritt. Längst vorbei auch die Zeit der Marihuana rauchenden Freaks, die im wahrsten Sinne des Wortes den Kurs „hinunterflogen".

**Periodisierung.** Aus den österreichischen Medien ist Snowboarden trotz der Erfolge von Sigi Grabner & Co weitest gehend verschwunden. Die meisten Rennen finden ja auch im Ausland statt, zu Redaktionsschluss waren Felix und Heidi gerade in Japan unterwegs, Chile, Skandinavien und künftig vermehrt auch die USA und Kanada stehen unter anderem am Weltcupkalender. Durch die weitaus geringere Medienpräsenz – im Vergleich zu Hermann Maier & Co – bereiten sich die Boarder eher still und leise auf die Saison vor. Diese Vorbereitung beginnt bereits im Mai. Mit einem Ausdauerblock, im Juli und August kommen vermehrt Kraft und Schnelligkeit dazu. Tja, und im September steht dann schon wieder Chile am Programm. Ab und zu gönnt sich Felix etwas Abwechslung: Im Jänner machte er ein 24-Stunden-Rennen am Klippitztörl mit. „Nicht unbedingt eine gute Idee – das Board ging drauf, und dann taten natürlich alle Muskeln weh."

**Sporthilfe.** Weil nicht nur die Siegesprämien, sondern auch die zu lukrierenden Werbeverträge im Vergleich zu den Stars auf den beiden Carvingbrettln nicht zu vergleichen sind, ist Felix – genauso wie Heidi Krings – froh, dass die Sporthilfe auch die Boarder unterstützt. „Das ist schon mal ein monatlicher Fixbetrag, mit dem man die wichtigsten Dinge abdecken kann." Eben fix einkalkulieren. Denn wenn ein Finale flöten geht, geht man aufgrund der leistungsbezogenen Sponsorenverträge natürlich leer aus. Und weil ein Dichter, der keine finanziellen Sorgen hat, eben besser dichtet, boardet ein Boarder auch dann besser, wenn er seine Grundkosten abgedeckt hat.

## GEDANKEN ZUM GESCHNITTENEN SCHWUNG

**Training:** Wie viele andere Wintersportler – auch jene auf zwei Brettln – übt Felix den Schwung auf der Kante vor allem beim Freifahren. Und sucht sich dafür immer wieder flache Hänge aus.

**Experimentieren:** Es gibt viele Theorien, wie man einen schönen, runden Schwung auf der Kante zusammenbringt. Mit Felix philosophierte der Autor auf der Schladminger Planai einen ganzen Schitag lang darüber. Und er experimentierte selber fleißig. Es ist nämlich so: Wie beim Alpinschilauf die gute, alte Hoppichler-Schule für das Carven so gut wie ungeeignet ist, gibt es auch beim Boarden verschiedenste Theorien und Ansichten über den besten Schwung. Ob man „regular" (der rechte Fuß ist vorne) oder „goofy" auf das Board kommt, ist sowieso mehr oder weniger Zufall. Die meisten fahren „regular", weil die meisten Boards eben von Haus aus so eingestellt sind. Ein engerer Zusammenhang mit der Links- oder Rechtshändigkeit konnte noch nicht gefunden werden. Ist ja „ghupft wie ghatscht", wie man landläufig so sagt: Bei einer Kurve ist man mit dem Hintern zum Hang, bei der nächsten mit dem Gesicht („frontside" und „backside" heißt's in der Fachsprache).

**Druck aufs Brett:** Auch hier geistern viele Geschichten aus dem Reich der Märchen durch die Boarderwelt. Fazit: Druck aufs Brett kommt einerseits vom Körpergewicht, dieses Gewicht wird durch das Tempo multipliziert – je mehr Geschwindigkeit, umso mehr Druck. Und dann gibt es nur mehr wenig Spielraum – nämlich, indem man sich kleiner macht (das entlastet das Board), oder man richtet sich auf. Dann entsteht etwas mehr Druck. Aber dann ist Schluss mit Druck. Denn irgendwann ist man vollständig aufgerichtet, es kann kein zusätzlicher Druck mehr ausgeübt werden. Dann muss der Schwung eben bereits fertig sein.

**Rotation:** Ob der Körper immer talwärts schaut, wie manche Boardinglehrer lehren, oder ob der Körper mit dem Board mitgeht, ist ebenfalls eine Frage des Glaubens und der Philosophie. Im Alpinschifahren hat sich weiland eben die Hoppichler-Technik durchgesetzt, welche jetzt beim Carven eigentlich ein Hindernis ist.

**Schnitt:** Die höchste Kunst beim Boarden im alpinen Gelände ist der geschnittene Schwung, also das Fahren auf der Kante. Beobachtet man einen Profi wie Felix Stadler, kann man aber schon gar nichts von einem „Beugeschwung" oder einem „Sprungschwung" beobachten. Ganz ruhig steht er am Board, es ist alles eine harmonische, in sich geschlossene Bewegung. „Ich habe eigentlich keine Ahnung, wie ich das mache. Das geht wohl einfach ganz intuitiv."

# Hans Knauss,
# Alpinschi

# Hundertstelkrimiexperte

**Hans Knauss. Seit mehr als 10 Jahren Weltspitze – trotzdem nie ganz oben. Aber immer sympathisch.**

**PERSÖNLICHE DATEN**

**Name:** Hans Knauss
**Geb.:** 9. 2. 1971
**In:** Schladming
**Wohnhaft:** Schladming
**Fam.-Stand:** Ledig, Lebensgefährtin Barbara
**Kinder:** Tochter Nella
**Hobbys:** Mountainbiken, Motorrad, Bergsteigen, Autorennen
**Homepage:** www.hans-knauss.com

Es war nach dem Riesentorlauf des Jänners 2003 in Adelboden. Hans Knauss gewinnt den Riesenslalom – sein erster Sieg nach der verletzungsbedingten Durststrecke. Aber bei der internationalen Pressekonferenz fragen ihn alle nur, was er denn vom Comeback des Hermann Maier halte. Dabei war der als 31. gar nicht für den zweiten Durchgang qualifiziert gewesen. Und weil keine anderen Fragen kommen, platzt ihm schließlich der Kragen: „Wer hat denn jetzt eigentlich gewonnen?", stellt er die Gegenfrage. Aber derartige „Ausritte" hinterlassen an der Sympathie des Schladmingers keine Kratzer. Im Gegenteil.

**Knaussrig.** Er hat's nämlich mit den Hundertsteln. In Erinnerung bleiben da natürlich Großereignisse wie die WM 2003 in St. Moritz. Drei Hundertstel hinter dem Sieger. „Trotzdem hab ich Silber gewonnen und nicht Gold verloren." Denn der Drittplatzierte, Eric Schlopy, war auch nur eine Hundertstel dahinter. In die Geschichte eingegangen ist er mit einer Bronzenen bei der WM in Vail: im Super-G drei Huntertstel hinter den beiden Siegern. Einfach rekordverdächtig.

**Familienband.** Die „Knauss-Buam", wie man am Land eine Ansammlung von Brüdern nennt, sind allesamt nett, bodenständig und bescheiden. „Das haben uns wohl unsere Eltern mit auf den Weg gegeben. Finanziell war für uns in der Jugend nicht viel möglich." Das ist nicht selten ein Antrieb, besonders strebsam und ehrgeizig zu sein. Aber offenbar ohne die Verbissenheit einiger Mitbewerber. Neben Medaillen gibt's dann halt auch Sympathie.

**Warum gerade diese Sportart?**
„Na ja, wir sind halt eine Schifahrerfamilie, Schladming ist ein Wintersportort. Mein Bruder war sechsmal Profiweltmeister, mein Bruder ist gleichzeitig mein Servicemann."

**Die größten Erfolge:**
1998 in Nagano Olympia-Silber im Super-G. 2003 in St. Moritz Silber im Riesenslalom. Legendär ist auch seine WM-Bronzemedaille von Vail, als er nur eine Hundertstel Rückstand auf die beiden Sieger Kjus und Maier hatte. Überhaupt hat er's mit den Hundertsteln: Nicht selten verpasste er einen Platz ganz oben am Stockerl um diese kleinste im Schisport gemessene Zeiteinheit. Wie eben in Vail in der Abfahrt, bei der WM 1997 in Sestriere im Super-G und in Nagano 1998 im Riesentorlauf. 1996 schon war Hans Weltcup-Zweiter im Super-G. Das war überhaupt seine erste Weltcup-Saison, in der er gleich zwei Einzelsiege im Riesentorlauf von Alta Badia und im Super-G in Valloire verbuchen konnte. Und auch im Gesamtweltcup ist der beim Publikum äußerst beliebte Schladminger stets unter den Top Ten.

**Enttäuschungen:**
Nun möchte man meinen, der Hans hat ein „Hundertstelstockerlsyndrom". Mitnichten. Während der Fahrt gilt die volle Konzentration sowieso der Strecke, und wer dauernd vorn dabei ist, bei den Weltbesten, braucht sich wegen ein paar Hundertsteln nicht in Selbstzweifeln aufzulösen.

# Auf in die Kaderschmiede

**Wer ins ÖSV-Team carvt, der hat schon fast so was wie eine Weltklasse-Garantie.**

In der Saison 1992/93 startete der schnelle Hans aus Schladming seine Weltcuppremiere. Weil er bei zwei Europacuprennen mit den Plätzen eins und zwei aufhorchen ließ. Und er nützte gleich die erste Bewährungsprobe mit einem vierten Platz beim Super-G in Aspen. Er ist also schon mehr als ein Jahrzehnt im Geschäft.

**Wandel.** In dieser Zeit hat er, im wahrsten Sinne des Wortes, einiges mitgemacht. Wandel im Training, völlig neues Schimaterial. Und natürlich Verletzungen. Dadurch musste er in der abgelaufenen Saison 2003/2004 auch um einen Start im Abfahrtsteam zittern. Wobei die Rechnung eigentlich einfach ist: Wer schneller ist, der fährt. Wer um seinen Stammplatz zittern muss, tut gut daran, sich gleich für den Saisonstart in Form zu bringen. Das tat er denn auch, nach einem verheißungsvollen Start trumpfte er bei der Amerika-Tournee im Spätherbst gleich auf.

**Periodisierung.** Was für Hobbysportler von hohem Interesse ist: Eine ganze lange Saison – und die alpine Weltcupsaison ist eine ziemlich lange – konnte im abgelaufenen Winter niemand durchgehend ganz vorne sein. Jedem – ob Benni Raich, Hermann Maier, Kalle Palander oder Bode Miller – ging zwischendurch die Luft aus. Hans Knauss verließen gegen Ende der Saison eben auch die Kräfte. Es lief nicht mehr so wie am Anfang. Die Entscheidung, die Form so zu programmieren, dass er am Saisonanfang vorne ist, war dennoch völlig richtig.

**WM-Saison.** Er gibt es zwar nicht zu, aber in der nächsten Saison könnte das schon ganz anders sein: Da steht wieder eine Weltmeisterschaft auf dem Programm, also

**QUOTENPLÄTZE**

Steht ein Großereignis an, dann wird regelmäßig über das Starterfeld diskutiert. Weil pro Nation ja nur vier Leute starten dürfen, müssen bei den stärksten Nationen – vor allem also bei den ÖSV-Kadern – sogar potenzielle SieganwärterInnen zuschauen. Das erscheint sehr oft ungerecht. Die, die dann zu Hause bleiben müssen, vertreiben sich die Zeit mit „Auswanderungsgedanken". Und dann verraucht der Ärger wieder. Hans Knauss erspart sich solche „Aktionen". Weil er bei Großereignissen immer in Top-Form ist, also bei jenen, die antreten dürfen bei den Hundertstelkrimis.

## KÖRPERLICHES UND TRAINING

**Grundsätzliches:** Weil der Österreichische Schiverband – aus teilweise verständlichen Gründen – keine detaillierten Trainingstricks bekannt gibt, gibt's an dieser Stelle allgemeine, sportive Tipps.

**Experimente:** Der Mensch strebt im Allgemeinen nach Verbesserungen. Auch ein Rennläufer macht sich Gedanken, was er tun könnte, um in der nächsten Saison noch weiter vorn zu sein. Hans Knauss erklärt das so: „Es ist eigentlich immer ein Kompromiss. Wenn man vorne dabei ist, ist das ja ein Zeichen, dass man es nicht ganz falsch macht. Daher sind Veränderungen eine heikle Sache. Aber man darf auch nicht stehen bleiben. Ich habe mittlerweile natürlich einige Routine und ein ziemlich gutes Gefühl, was mit gut tut und was nicht. Hat man mal ein Tief, dann kann auch schon ein guter Trainingstag genügen, dass es wieder aufwärts geht. Und dazulernen muss man sowieso immer. Wie nach dem Saisonauftakt in Sölden, wo wir den Steilhang einfach zu direkt gefahren sind, zu wenig Schwung ins Flache mitnehmen konnten. Das analysiert man dann mit den Trainern und macht es das nächste Mal besser."

Mit Erfolg, wie der Endstand der Weltcupwertungen zeigt: Sechster Platz in der Gesamtwertung, sechster Platz im Super-G, sechster Platz in der Abfahrt. Er ist eben ein „Mister Zuverlässig".

## Formprogrammierung

sollte man tunlichst erst nach Weihnachten in Topform sein. Wer aber allzu spät dran ist, kann wiederum unter Qualifikationsdruck geraten. Weil die Trainer bei der Aufstellung eben auch die Formkurve in betracht ziehen. Dass Hans Knauss diesem Druck auch im nächsten Winter standhalten wird, darf man annehmen.

**Ego.** Für die mitunter sensationsgierige Öffentlichkeit ist jemand, der WM- und Olympiamedaillen gern um Hundertstelsekunden verpasst, oftmals auch ein „Verlierer". Und da zeigt sich, wie gefährlich Hochleistungssport sein kann: Der Antrieb, Spitzensportler zu werden, hat oft tiefenpsychologische Hintergründe. Es geht um den Selbstbestätigungskampf, den wir alle ausfechten müssen. Wer ein harmonisches familiäres Umfeld hat, tut sich da wesentlich leichter. Und das ist wohl auch der Grund für die Sympathiewerte eines Hans Knauss: Er braucht sich nicht mit großen Sprüchen und übermäßigem, öffentlichem Rummel herumzuschlagen, er hat in Schladming sein Elternhaus, seine Lebensgefährtin Barbara und Tochter Nella. Sein Ego kann er also zwischen den Torstangen, im Steilhang der Streif oder auf der Schrägfahrt in Bormio ausleben.

**Training.** Dieses hat sich ganz allgemein stark gewandelt. Weil man meinte, Schisport wäre Kraftsport, wurde vor zwei Jahrzehnten noch mit Bleiwesten und anderen Erschwernissen trainiert. Legendär waren auch die Hügellauf-Methoden: Die Athleten wurden bis zum buchstäblichen Erbrechen irgendeinen Hügel raufgejagt. Zwar verzichtet man auf das Krafttraining beileibe nicht vollständig, aber es wird viel mehr auf Ausdauer Wert gelegt. Weil Schifahren eben nicht Kondition aufbaut, sondern Kondition verbraucht. Deshalb ist einfach „Kraft tanken" und etwas zurückschalten angesagt. Das haben beileibe noch nicht alle Hobbysportler verstanden.

### SPRÜCHE

Hans Knauss spuckt beileibe nicht die größten Sprüche im Schizirkus. Wenn ihm aber mal der Kragen platzt, kann's deftig werden. „Jetzt sind wir wieder die Deppen der Nation", meinte er nach dem Comebacksieg von Hermann Maier in Kitzbühel 2003. Das hat ihm keiner übel genommen. Weil er eben doch immer den richtigen Ton trifft. Das ist die Ennstaler Bauernschläue. Man kann auch Hausverstand dazu sagen.

## TIPPS FÜR HOBBYSPORTLER

**Neue Sportart:** Mit der Entwicklung der Carvingschi entstand praktisch eine völlig neue Sportart. Die Rennläufer mussten also eine völlig neue Technik lernen, das machte manchen eine Weile zu schaffen.

**Umlernen:** Das Erlernen von neuen Bewegungsabläufen ist schwerer, als man gemeinhin annehmen möchte. Denn jeder Bewegungsablauf ist erstens sehr komplex, besteht also aus vielen kleinen „Unterbewegungen". Allein für ein Lächeln bewegen wir beispielsweise mehr als ein Dutzend Muskeln. Bewegungsabläufe, die man häufig bewerkstelligt, werden nicht allein vom Kopf aus „erledigt": Wie wir an vorderer Stelle gelesen haben, gibt es ein willkürliches und ein unwillkürliches Nervensystem. Haben wir uns einen Bewegungsablauf einmal (durch oftmalige Wiederholungen) einstudiert, wird er sozusagen in das unwillkürliche Nervensystem ausgelagert. Vergleichbar mit einer Computerdatei.

**Carvingschwung:** „Carven" heißt nichts anderes als „auf der Kante fahren". Das ist irgendwie einfach, aber auch irgendwie kompliziert. Selbst im Rennzirkus gibt es welche, die das besonders gut beherrschen. Hans Knauss gehört zu jenen. Nicole Hosp hat wahrscheinlich überhaupt den genialsten Carvingschwung drauf. Aber wie erlernt man den?

**Umweg:** „Alle Wege führen nach Rom", sagt man. Daher auch alle Umwege. Kein Scherz. Manchmal sind Umwege sogar sehr zielführend. Weil ein einstudierter Bewegungsablauf wie eine abgespeicherte Computerdatei zu betrachten ist (die Befehle des Nervensystems an die Muskeln sind in der Tat nichts anderes als elektronische Signale), muss man die alte Datei irgendwie löschen. Das geht am besten, wenn man den Umweg über eine andere Sportart geht. Am nächsten mit dem Carven verwandt ist das Skaten. Egal ob Eislauf oder Inlineskating: Das Prinzip ist haargenau das Gleiche: Man fährt auf der Kante.
Dass man sich als Vorbereitung auf den nächsten Winter solche „Dinger" anschnallt, liegt also auf der Hand.

**Kurzschi:** Der Steirer Heinz Pedarnnik war 15 Jahre lang Trainer im ÖSV (und hat dort durch seine unkonventionellen Methoden immer wieder für Diskussionen gesorgt).
Er hat einen unkonventionellen „Carvinglehrgang" entwickelt. Dabei beginnt er mit Snowblades, also nur 99 cm langen Schiern. Das hat viele Vorteile. Zum Beispiel die Schulung des Balancegefühls (auf solch kurzen Brettern muss man tatsächlich „neutral" draufstehen, sonst fällt man auf Nase oder Po) – diese Methode hilft auch, die alten „Hoppichler-Dateien" zu löschen. Und einem ungetrübten Carvingvergnügen steht nichts mehr im Weg.

„Super, Adi, give me five!"
Heute platzieren und schon morgen in einer der über 3.800 Annahmestellen groß abkassieren. Mit tipp3, der täglichen Sportwette, lassen Sie so richtig die Kassa klingeln.
Kassieren wie die Profis.
tipp3
Heute platzieren, morgen kassieren!
Teilnahmebedingung: Volljährigkeit.

**Die Person:** Warum Renate „Speed Queen“ gerufen wird.
Seite 188

**Das Training:** Wenn's eng wird, gibt's Sonderschichten im Slalom.
Seite 190

**Carven:** Wie man im Sommer das Carven üben kann.
Seite 193

# Renate Götschl, Alpinschi

# Königin des flotten Tempos

**Als Slalomartistin begann sie ihre Karriere. Jetzt fehlt ihr nur noch ein Riesenslalomsieg zur letzten Krönung.**

## PERSÖNLICHE DATEN

**Name:** Renate Götschl
**Geb.:** 6. 8. 1975
**In:** Obdach
**Wohnhaft:** Obdach
**Fam.-Stand:** Ledig
**Lieblingsessen:** Steaks
**Lieblingsgetränk:** Radler
**Ausbildung:** Schihandelsschule
**Nach der Profikarriere:** Noch keine Idee
**Fanpost-E-Mail:** Gästebuch auf Website
**Homepage:** www.goetschl.at

Nur drei Rennläuferinnen haben bisher mehr gewonnen als Renate Götschl. Was für die Ewigkeit noch fehlt, ist ein Sieg im Riesenslalom. Dann hätte sie in allen fünf alpinen Disziplinen – nimmt man die Kombination dazu – einen Sieg einfahren können. Es ist ihr durchaus zuzutrauen, dass dies in den nächsten Jahren noch gelingen wird. Dass sie uns bis Turin 2006 erhalten bleibt, scheint im Moment beschlossene Sache.

**Speed Queen.** 16 Siege in der Abfahrt, 10 weitere im Super-G – das brachte Renate den Kosenamen „Speed Queen" ein. Ein „Titel", mit dem sie natürlich leben kann, ein Titel für die Ewigkeit sozusagen. Mit Recht. Wer 33 Rennen gewinnen kann, 10 Jahre lang Weltklasse ist, der hat sich einen Titel verdient.

**Lenzerheide.** Dass Renate aber je wieder so strahlen würde können wie in Sestriere 2004, das war am 2. März 2002 mehr als fraglich: Beim dortigen Abfahrtsrennen baute Renate einen grauenhaften Sturz. Und die Diagnose war niederschmetternd, das linke Knie quasi völlig zerstört: Kreuzbandriss, beide Seitenbänder gerissen, Abriss und Einklemmung des äußeren Meniskus. Dazu noch Bruch des Wadenbeines und Abriss des Kronenfortsatzes am linken Ellenbogen. Nicht nur eine Rückkehr bis zum nächsten Saisonbeginn war infrage gestellt. Wie wir heute wissen, gab es schon in der nächsten Saison die ersten Siege – möglich war das aber nicht nur aufgrund der Kunst der Ärzte, sondern vor allem durch eisernen Willen und konsequente Rehabilitation.

KARRIERE

**Weltcup:**
33 Weltcupsiege stehen zu Buche. Damit hat sie in der ewigen Bestenliste Rang 4 erobert, auf die drittplatzierte Katja Seizinger fehlen nur noch drei Siege. Uneinholbar sind Vreni Schneider (55) und Annemarie Moser-Pröll (62). Der Gesamtsieg 2000, drei weitere zweite Plätze (2001, 2002, 2004) zeigen eindrucksvoll die Konstanz der Obdacherin. Fünf kleine Kristallkugeln (3 x Abfahrt, 2 x Super-G) sowie insgesamt 80 Podestplätze runden die eindrucksvolle Bilanz ab.

**Olympia:**
Die olympische Bilanz fällt da vergleichsweise „bescheiden" aus: Bronze in der Abfahrt und Silber im Super-G von Salt Lake City 2002 glänzen aus der Vitrine.

**Weltmeisterschaften:**
1997 gab es Kombi-Gold in Sestriere. Höhepunkt war Vail 1999 mit Abfahrtsgold und Silber im Super-G. Als Draufgabe holte sich Renate 2001 in St. Anton Abfahrtssilber. Ergibt also sechs Großereignis-Medaillen.

**Verletzung:**
Im März 2002 stürzte Renate in Lenzerheide schwer. Das völlig zerstörte Knie konnte den Siegeswillen freilich nicht brechen. Denn schon in der darauf folgenden Saison kehrte sie mit zwei Siegen aufs oberste Treppchen zurück.

# Das Kreuz mit den Bändern

**Warum Leistungssportler Verletzungen schneller auskurieren als schlecht trainierte Hobbysportler.**

Gleich nach ihrem Sturz in Lenzerheide wurde Renate nach Schruns zur Operation geflogen. An eine alternative Behandlung ist für Schisportler in der Regel sowieso nicht zu denken, Renates „Totalschaden" machte eine sofortige Operation nötig.

**Kräfte.** Die Entwicklung des Schisports in Richtung olympisches Leitmotiv (höher, weiter, schneller) – die auch das Publikum will – macht natürlich ungeahnte Kräfte frei. Die der Körper oft nicht mehr aushält. Trotzdem verwundert es immer wieder, dass derart schwer verletzte Sportlerinnen und Sportler wieder zu alter Stärke zurückfinden.

**Physis.** Dr. Artur Trost, Leibarzt des Herminators, erklärt das wiederum recht einfach: „Spitzensportler sind derart gut trainiert, dass sie ein viel besseres Regenerationsvermögen haben. Ein Untrainierter würde eine Verletzung wie die von Hermann Maier nicht in einem derartigen Tempo wettmachen können." Ein Untrainierter könnte vielleicht nie mehr gehen. Selbiger Umstand ermöglichte auch das unglaubliche Comeback der Renate Götschl.

**Wille & Konsequenz.** Freilich gehören Wille und Konsequenz dazu. Mit der Aussicht auf eine sechsmonatige Schipause fällt tägliches Rehab-Training schwer. Doch Renate hat diesen Willen bekanntlich aufgebracht. Der nächste Heilungsknackpunkt ist die medizinische Betreuung während der Rehabilitation. Auch da scheut der ÖSV keine Kosten, um den Athleten die bestmögliche Unterstützung zu bieten.

**Punktgenau.** Je exakter die Maßnahmen gesetzt werden, umso besser der Heilungsverlauf. Und weil der Muskelab-

**FANCLUB**

Das ist rekordverdächtig: Ganze 500 aktive Mitglieder zählt der Fanclub von Renate. Clubfahrten zu Weltcuprennen, Weltmeisterschaften und Olympischen Spielen werden organisiert, mithilfe von Sponsoren gelang es auch, einheitliche Anoraks für das mitunter lange Aushalten am kalten Pistenrand zu organisieren. Und es gibt sogar eine eigene Fanclubzeitung. Wer beitreten möchte, klickt einfach auf den Button „Fanclub" auf Renates Homepage.

## TRAINING

**Flexibel:** Geht es um den Gesamtweltcupsieg, muss eine Rennläuferin flexibel reagieren. Gegen Saisonende kamen Renate einige Mannschaftskolleginnen verletzungsbedingt abhanden. Vor allem Nicole Hosp war bis zu ihrem Joggingunfall in Schladming ein Garant dafür, im Slalom und Riesenslalom Anja Paerson wichtige Punkte wegzuschnappen. Also musste Renate selber die Slalomschi auspacken. Die Betreuer setzten auf die Slalomstärke in der Vergangenheit – schließlich rührte Renates erster Sieg vom Slalom in Hafjell (1993).

**Miles & More:** Und so wurde ein Monsterprogramm ausgetüftelt. Nach dem Super-G in Aare ging's ab ins Flugzeug, zum Slalomtraining im heimatlichen Obdach. Dort hat sie einen FIS-Hang direkt vor der Haustüre, eine Piste wurde gesperrt, mit einem „Personal Coach" wurden Hunderte Slalomtore absolviert. Und dann ging's wieder ab in den Flieger Richtung Finnland, wo in Levi zwei Slaloms anstanden. Und Renate lag zu diesem Zeitpunkt nur mehr 23 Punkte hinter Anja. Leider gab's nur ein paar Bonus-Meilen bei der Fluggesellschaft. Renate ging leer aus.

**Fazit:** Was übrig bleibt, ist das Gefühl, alles getan zu haben, um den Gesamtsieg doch noch sicherzustellen. Mit den beiden kleinen Kristallkugeln in ihren geliebten „Speed-Disziplinen" ist Renate aber hochzufrieden.

## Zu alter Stärke

bau in einer Pause rasend schnell vor sich geht, muss mit dem Aufbau der Muskulatur ehebaldigst begonnen werden. Ohne dabei die lädierten Bänder zu belasten. Hier haben die Physiotherapeuten in den letzten Jahren eine ganze Menge Know-how angesammelt. Wassergymnastik und vieles mehr trägt zu immer kürzeren Heilungszeiten bei. Wenn dann eben Wille, Körpergefühl und eine starke Psyche dazukommen, sind Erfolgsgeschichten à la Renate Götschl möglich.

**Slalom.** Wie schmal der Grat zur Überlastung sein kann, merkte Renate anlässlich der schon geschilderten „Slalom-Gewalttour" im hohen Norden. Das Knie meldete sich prompt zu Wort. Und im Zielraum von Sestriere schüttelte sie auch ungläubig den Kopf, verstand die Welt nicht mehr. Denn ihre Trainer hatten sie mit „sanfter Gewalt" auch noch in den letzten Slalom geschickt. „Man muss andere fragen, was das für einen Sinn hatte ...", murmelte sie in die wartende Journalistenschar. Wenn's mal nicht wie erwünscht läuft, fliegen also auch in einem „Erfolgs-Power-Team" die Fetzen. „Allein Renates Anwesenheit hat Anja im ersten Durchgang irritiert", rechtfertigten sich die Trainer. Die Köpfe dürften sich aber bald wieder abkühlen. Bei Renate, wenn sie ihre beiden kleinen Kristallkugeln in der Vitrine positioniert, und auch die Trainer werden ihr Nervenkostüm wieder ins Lot bringen.

**Aussichten.** Wenn also im nächsten Winter Niki Hosp, Janica Kostelic und Anja Paerson in den technischen Disziplinen einander gegenseitig Punkte abjagen, hat Renate den Kopf wieder frei für ihre geliebten Speed-Disziplinen. Und vielleicht bauen Götschls daheim in Obdach ja den Viehbestand aus. Denn „immer wenn's ein Kalb gibt, gewinne ich", erzählt Renate glaubhaft. Da könnte der Bürgermeister beim obligaten Empfang ja einen frischen Zuchtbullen spendieren ...

### LÄNGENFRAGE

Geht man Schi kaufen, drängt sich die Frage der Länge auf. Für gewöhnlich hat der Verkäufer diesen Tipp parat: „Bis zur Schulter sollte er schon gehen." Ein Argument, das sehr zu hinterfragen ist. Schaut man sich einen Weltcupslalom an, dann fahren alle die gleiche Schilänge. Nämlich die kürzeste von der FIS erlaubte. Was beweist, dass die Schilänge nicht abhängig ist von der Körperlänge. Denn die Läuferinnen und Läufer sind ja auch nicht alle gleich groß.

## VOM SKATEN ZUM CARVEN

**Grundsätzliches:** Wer gut carven können möchte, sollte möglichst neutral am Schi stehen. Wie wir von Moshe Feldenkrais wissen, funktioniert unser motorisches Nervensystem so, dass es eingeübte Bewegungsabläufe abspeichert. Will man neue Bewegungsabläufe erlernen, muss die alte „Bewegungsdatei" irgendwie gelöscht werden. Und das geht am besten, wenn man einen „Umweg" über eine andere Sportart macht. Was das Carven betrifft, bietet sich dafür das Inlineskaten an.

**Vorteile:** Das bringt gleich mehrere Vorteile. Zum Beispiel den, dass Skaten sowieso ein guter Ausgleich ist, weil das Gleichgewichtsgefühl stark verbessert wird. Vor allem in Hinsicht aufs Carven wird die neutrale Körperstellung unbewusst trainiert. Während man sich im Schisport durch die hohen – und oftmals viel zu steifen – Schuhe abstützen kann, geht beim Skaten diesbezüglich nichts: Wer zu viel Vorlage hat, fällt auf die Nase, bei zu starker Rückenlage landet man auf dem Popscherl.

**Kurvenfahren:** Das Kurvenfahren funktioniert beim Inlineskaten ziemlich exakt genau so wie beim Carven: Nämlich hauptsächlich durch eine Verlagerung des Körpergewichts. Und das Fahren auf dem Innenschi lernt man ebenfalls beim Skaten am besten. Dass beim Carven immer beide Schi gleichzeitig belastet werden müssen, steht freilich nirgends geschrieben. Beim ersten Schiausflug im Herbst empfiehlt es sich jedenfalls, mit möglichst kurzen Schiern zu starten. Am besten mit Big Foots oder Snowblades. Der Versuch lohnt sich bestimmt.

**Muskelpartien:** Wer ab und zu eine alternative Sportart zu seiner „Hauptsportart" ausübt, schult obendrein andere Muskelpartien. Das hat den Nebeneffekt, dass diese Muskeln den „Hauptmuskeln", also jenen, die beim Laufen, Radeln usw. beansprucht werden, beim Abbau des anfallenden Laktats helfen. Und so ist die Sommerpause elegant für den nächsten Winter genutzt.

**Die Person:** Thomas Muster ist nicht nur Freund der Familie, sondern auch sportliches Vorbild.
Seite 196

**Das Training:** Bis zu 10 Stunden am Platz, dazu Ausdauer und Kraft.
Seite 198

**Dein Nutzen:** Einige Golfgeheimnisse – und der Fitnesswert.
Seite 201

# Martin Wiegele, Golf

# Musterhafte Einstellung

**Thomas Muster ist ein Freund der Familie – Martins Einstellung zum Sport sprichwörtlich „musterhaft".**

## PERSÖNLICHE DATEN

**Name:** Martin Wiegele
**Geb.:** 11. 7. 1978
**In:** Graz
**Wohnhaft:** Graz
**Fam.-Stand:** Ledig
**Hobbys:** Musik, Badminton, Fußball
**Lieblingsbuch:** „Haben oder sein" (Erich Fromm)
**Lieblingsfilm:** „Pulp Fiction"
**Lieblingsschauspieler:** Keanu Reeves
**Lebensmotto:** Kein spezielles – „Ich bin in der glücklichen Lage, das tun zu dürfen, was mir am meisten Spaß macht."
**Nach der Profikarriere:** Noch keine Pläne, man kann ja ziemlich lange golfen. „Platz-Design wär vielleicht eine feine Sache."
**Fanpost:** www.wiegele-golf.com

„Was Thomas Muster als Sportler geleistet hat, fasziniert mich immer noch. Er ist auch mein sportliches Vorbild." Bekanntlich schaffte es „Tom" bis ganz nach oben, also (wenn auch nur kurzfristig) zur Nummer eins in der Weltrangliste. „Zu hoch darf man die Ziele auch nicht stecken, aber beim Rider-Cup möchte ich bis 2010 auf alle Fälle dabei sein", umreißt der Golf-Aufsteiger aus Graz sein Karriereziel. Beim Rider-Cup spielen die 10 besten Euro-Golfer alle zwei Jahre gegen ebenso viele US-Golfer.

**Bodenständig.** Zwischen zwei Turnieren in Australien und einem in Dubai nimmt sich Martin Zeit für ein Gespräch im Golfclub Fontana in Oberwaltersdorf. Dort kennt ihn natürlich jeder, und alle sind stolz, dass es „einer von ihnen nach oben geschafft" hat. In Rekordzeit. „Denn eigentlich wollte ich mich binnen drei Jahren von der Challenge-Tour in die European-Tour hocharbeiten." Es gelang bereits im ersten Jahr. „Jetzt muss ich halt schnell lernen, denn urplötzlich stehe ich mit Leuten am Platz, die ich vor kurzem bloß im Fernsehen bewundert habe." Da schleicht sich dann schon der eine oder andere Fehlschlag ein.

**Vertrauensmann.** Hinter jeder Karriere steht – nicht immer eine Frau, sondern sehr oft eine andere Vertrauensperson. Im Fall Wiegele der Grazer Golflehrer Ali Rosker (www.golfschule-ali.at), der das Talent und den Fleiß Martins früh erkannte und ihn kontinuierlich förderte. Martin: „Ihm kann ich vertrauen und mich aufs Golfen konzentrieren. Andere Sportler reden mit ihren Managern irgendwann nur noch vor Gericht."

KARRIERE

**Warum gerade diese Sportart?**
„Ich entstamme eigentlich einer Tennisfamilie. Mein Vater ist Verbandsfunktionär, mein Bruder Michael war Tennisprofi und Sparringpartner von Andre Agassi. Erst mit elf probierte ich meine ersten Golfschläge. Das hat mich dann gleich fasziniert."

**Die größten Erfolge:**
Als Amateur war Martin viermal Staatsmeister, zweimal in der Europaauswahl, sogar als jeweils bester Spieler. Er schaffte das Handicap „plus 4", das ist Österreichrekord und auch international eine Rarität. Der Aufstieg setzte sich bei den Profis fort: Schon nach dem ersten „Challenge"-Jahr konnte Martin als Viertbester eine Tour-karte lösen. Und schaffte bei seinem ersten Auftritt der European Tour (Moskau) gleich den sensationellen 2. Platz. Den Sieg vergab er erst im Stechen. Dieser Auftritt bescherte ihm einen Platz in den US-News-Channels. Und damit war das Tourticket für 2004 auch schon fast gelöst, die halbe Miete eingefahren. In der Weltrangliste rangierte Martin zu Redaktionsschluss als bester Österreicher auf Rang 320.

**Enttäuschungen:** „Natürlich ist man enttäuscht, wenn man den ‚Cut' nicht schafft, denn dann gibt's kein Preisgeld." Aber Martin ist ja noch jung – und ziemlich lernfähig.

# Auch ein Golfer will fit sein

**Etwas Ausdauer, regelmäßig Kraft – dazu noch Abschlagen, Putten. Da geht der ganze liebe Tag drauf.**

Ein bisschen haben wir noch immer das alte Golferimage im Kopf: „Das machen gut situierte, meist ältere Leute, die zwar an der frischen Luft sein wollen, aber doch etwas bewegungsfaul geworden sind." Wenn man sich aber Martin Wiegeles Trainingsumfang anschaut, wird dieses Denkgebäude in seinen Grundfesten heftigst erschüttert.

**30 Turniere.** Als Profi bleibt sowieso für nichts anderes mehr Zeit. 30 Turniere stehen heuer auf dem Plan. Die Anreise erfolgt spätestens am Montag, am Dienstag steht eine Proberunde auf dem Platz an, denn für Martin sind die meisten Plätze ja noch fremd. Am Mittwoch ist der Platz dann immer für Promotion-Zwecke besetzt, da dürfen dann VIP-Hobbyspieler mit den Profis eine Runde spielen. Diesen Tag nützt Martin für körperliches Training. Und Donnerstag beginnt dann auch schon das Turnier. Lediglich wenn der „Cut", also die Platzierung unter den besten 70, nicht geschafft wird, „darf" man früher heimreisen. Was natürlich blöd ist, weil's dann kein Preisgeld gibt.

**Lernphase.** Jetzt steht sowieso eine Lernphase an. Nicht nur, dass so gut wie alle Plätze für ihn neu sind, ist auch das Umfeld ein ganz anderes. „Jetzt kann es mir eben passieren, dass ich mit Tiger Woods in derselben Runde spiele." Das macht schon ein bisschen ein mulmiges Gefühl im Bauch. Und da es in Österreich seit Jahren kein einziges großes Turnier gibt, „konnte ich diese Spieler auch nie live miterleben". Nicht immer gelingt also der Cut, was aber nicht weiter tragisch ist, „denn das passiert zwischendurch auch absoluten Spitzenleuten."

**Ein guter Abschlag ist die halbe Miete – mehr auch nicht.**

## KÖRPERLICHES UND TRAINING

**Ausdauer:** Zwei Stunden in der Woche sind der Ausdauer gewidmet. Da geht Martin für gewöhnlich laufen.
**Kraft:** Zur Stärkung der Rumpfmuskulatur, die beim Golfen ja ganz schön beansprucht wird, geht Martin regelmäßig in die Kraftkammer. Viermal wöchentlich für zwei Stunden.
**Periodisierung:** Dieses Krafttraining wird vor allem in der wettbewerbsfreien Zeit absolviert, also im Dezember (denn mittlerweile beginnt die Saison schon im Jänner).
**Hotelzimmer:** Während der Saison muss oft das Hotelzimmer als Kraftkammer herhalten. Ein Theraband ist immer dabei, auch handliche Hanteln. Oder es geht in den Fitnessraum des Hotels.
**Abschlag, Putten:** Ist Training am Golfplatz angesagt, dann vergehen 6 bis 10 Stunden, bis alle Trainingseinheiten abgespult sind. Da werden alle möglichen Schläge mit allen möglichen Schlägern durchprobiert.
**Ernährung:** Es gibt keinen besonderen Ernährungsplan, „aber ich esse viel Nudeln oder sonstiges Kohlenhydratreiches. Wenn Fleisch, dann fettarm, Pute etwa."
**Mentales:** Golfen ist Kopfsache. Auch hier gibt es keine speziellen Übungen, Erfolgserlebnisse sind diesbezüglich die beste Medizin, Turniere das beste Training.

## GOLFERLATEIN

**Handicap.** Diese „Wertung" gibt es nur im Hobbybereich. Vergleichbar mit den Gürteln im Judo: Wer ein niedriges Handicap hat, zeigt damit, wie gut er Golfen kann, dafür gibt es eigene Veranstaltungen, wo man eben sein Handicap verbessern kann. Nimmt man dann an einem Hobbyturnier teil, ist ein niedriges Handicap tatsächlich ein Handicap: Denn wer Handicap 30 hat, startet mit 30 Schlägen Vorsprung, die er dann im Laufe des Turnieres mit Fehlschlägen „verbrauchen" kann. Wer also sein Handicap verbessert, hat insofern einen Nachteil.

**Langfristig.** Die Karriereplanung bleibt trotz des rasanten Aufstiegs eine langfristige. Erklärtes Ziel ist der Rider-Cup, eine Art „Länderspiel" zwischen Amerika und Europa. Nur die jeweils besten 12 dürfen mitmachen. Wenn das in etwa bis zum Jahr 2010 klappt, ist alles im Plan.

**Umfeld.** Denn das Umfeld und die Einstellung stimmen. Entdecker, Trainer und Manager Ali Rosker zieht im Hintergrund die Fäden, mit der befreundeten Familie Muster verbindet Martin Wiegele noch was: „Auch Tom hatte keine großen finanziellen Mittel zur Verfügung, hat es mit viel Beharrlichkeit und ständiger, konsequenter Arbeit an die Weltspitze geschafft." Golfspezifisches Vorbild ist übrigens Ernie Els. „Er redet auch mit allen jungen Spielern, ist ein total cooler Typ, überhaupt nicht eingebildet." Mit Tiger Woods zu sprechen geht eh nicht, denn der wird von einem halben Dutzend Bodyguards ständig abgeschirmt.

**On Tour.** Wie läuft das nun ab, das Leben eines Golfprofis? Es muss alles selbst organisiert und bezahlt werden – Startgelder gibt es nur für die absoluten Topstars. Wenn es mit dem Cut nicht funktioniert, gibt's eben kein Geld. „Es war natürlich super, dass Ali Rosker gleich mehrere Sponsoren auftreiben konnte – wie Gösser, die Telekom, Fuchs & Partner, Trend AG, Masters, Michelatsch und den Golfclub Erzherzog Johann –, die auf gut Glück in mich investierten." Vermutlich eine gute Entscheidung.

## TIPPS – VON ALI ROSKER, TEACHING PRO UND MANAGER

**Grundsätzliches:** „Eine gute, allgemeine Grundkondition steigert die Freude am Golfen natürlich." Man muss ja nicht gleich so umfangreich trainieren wie Martin Wiegele.
**Anfänger:** „Wie in allen anderen Sportarten auch ist eine technisch einwandfreie Ausführung das Um und Auf." Und wo könnte man das besser lernen als in einer Golfschule, bei einem so genannten „Teaching Pro".
**Teaching Pro:** Wichtig ist das zwischenmenschliche Verständnis von Lehrer und Schüler. „Der Pro muss so feinfühlig sein, dass er seinen Schülern auch Individualität zugesteht." Grundsatz: Jeder Mensch ist ein Individuum, hat daher seinen eigenen Golfschwung.
**Rückschwung:** Das Geheimnis jedes guten Golfers. „Man muss den Schlägerkopf wahrnehmen", erklärt Ali das Geheimnis. Aber das Bedarf Übung. Wie man eben den Blues in der Musik fühlen muss oder das Gefühl eines gelungenen Carvingschwungs. Beim Golfen dasselbe: „Man muss locker bleiben, nicht zu technisch an die Sache rangehen." Ein guter Pro sollte also auch entsprechend locker sein. Wenn nicht: Einfach einen neuen suchen!
**Aufwärmen:** „Geht man auf eine Runde oder gar in ein Turnier, dann ist gründliches Aufwärmen, bis zu einer Stunde, eines der Erfolgsgeheimnisse."
**Gesundheitsaspekte:** Welchen Gesundheits- und Fitnesswert hat Golfen? Ali Rosker: „Einen sehr großen. Erstens ist das Verletzungsrisiko ziemlich gering, zweitens ist man vier bis fünf Stunden in zum Teil hügeligem Gelände unterwegs. Zwei Golfrunden in der Woche decken also den Fitnessbedarf eines Menschen völlig ab." Aber auch für Geist und Seele ist Golfen nachgerade eine Therapie: Man konzentriert sich auf die Schläge, allfällige Sorgen und Probleme sind für Stunden aus dem Gehirn verbannt. Man darf nur nicht die falsche Einstellung an den Tag legen. „Nicht gegen den Platz spielen, sondern mit dem Platz. Also das Gelände ausloten", rät Meister Rosker. Ja selbst für Kinder ist Golfen gesund: „Sie lernen Konzentration und Disziplin, außerdem ist Golfen äußerst familienfreundlich." Und warum werden Golfer gerne golfsüchtig? Rosker: „Da kommt die Funktionslust ins Spiel." Hat ein Schlag einmal funktioniert, will man dieses Erfolgserlebnis immer wieder genießen

MERKUR
12

# Der Hans

## holt Hänschen nimmer ein

**Nachwuchsarbeit – alle reden davon, viel zu wenige machen was. Bestandsaufnahmen, Ideen, konkrete Projekte.**

**Dass meine Tochter keine Spitzensportlerin wird, stört mich nicht. Dass sie sich bewegt, freut mich.**

# Österreich?!

**Wann ist man eigentlich ein guter Österreicher? Ich bin mir ziemlich unsicher.**

**Nationalstolz.** Ich frage mich des Öfteren, ob ich wohl ein braver Österreicher bin. Erstens habe ich die Mutter meiner Tochter nicht geheiratet und überlasse ihr in letzter Zeit die Erziehungsarbeit. Gut, früher, als ich Musiklehrer war, habe ich jahrelang vormittags babygesittet. Also doch ein braver Ösi. Wenn im Juni die Fußball-EM ausgetragen wird, stört es mich nicht, dass wir nicht dabei sind. Patrik Cluivert, Pavel Nedved, Zinedine Zidane und Thierry Henry spielen eh den viel besseren Fußball als Andi Ivanschitz (der wird aber noch). Also schlechter Ösi. Und wenn Bode Miller gewinnt, freut mich das auch, weil er so einen schönen Carvingschwung hat. Also ganz schlechter Ösi. Vielleicht teilen zu viele Österreicher meine Einstellung? Andererseits: Gerade habe ich im Fernsehen verfolgt, wie Felix Gottwald in der Loipe von Lahti vom 13. Platz auf das zweite Treppchen gestürmt ist. Und der ORF hat das nicht mal übertragen. Also bin ich ein guter Österreicher, weil ich auf Eurosport geschalten habe. Dort haben sie außerdem kapiert, dass wir gute Radler haben (es ist nicht das Getränk gemeint). So schlecht steht's außerdem eh nicht um uns. Wir haben einen Tischtennisweltmeister, einen Radweltmeister, Segelolympiasieger – sprinten sollen ruhig die Amis. Auch habe ich eine große Freude, dass meine Tochter nicht nur Oboe spielt, sondern auch einen Modern-Dance-Kurs besucht, gerne Geschichten schreibt, eine Wasserratte ist – und bei einem Volkslauf ihre Altersgruppe gewonnen hat. Und in Latein dauernd einen Einser schreibt. Aber Weltspitze im Tennis will sie nicht werden, obwohl sie sehr talentiert ist. Das wäre ein super Job für mich, den Manager zu spielen. Wenigstens den Pressereferenten. Schade ist allerdings, dass sie keine gute „Turnlehrerin" hat (hoffentlich liest die das Buch nicht).

# Stephanie –
## und die Lage der Nation

**Ihr Rücktritt hat Österreichs Sportwelt geschockt. Ein Blick auf Gegenwart und Zukunft.**

**Schock:** Ihr Rücktritt und das darauf folgende Erwachen (der Öffentlichkeit).
**Seite 206**

**Ideen:** Wir stehen also wieder mal ganz am Anfang. Einige Ideen gibt es schon.
**Seite 210**

# Erwachen nach dem Schock

Am 14. Jänner 2004 war Sportösterreich geschockt: Stephanie Graf hatte per E-Mail aus dem Trainingslager in Südafrika ihren Rücktritt bekannt gegeben. Dahin war die einzig wirklich reelle Leichtathletikmedaille für die olympischen Spiele in Athen. Nach tagelanger heißer Diskussion kehrten langsam Vernunft und Einsehen ein.

**Wurm.** In der österreichischen Leichtathletik ist also der Wurm drin. Das wusste man eh schon länger, Stephanie hatte das mit ihren tollen Erfolgen nur überdeckt. „Nicht nur in der Leichtathletik ist der Wurm drin, sondern auch in einigen anderen Sommersportarten", meint die Heldin der letzten Jahre und hat einige Gründe auch schon geortet: „Sommersportarten brauchen einen sehr langen, kontinuierlichen Aufbau." 15 Jahre brauche der Körper, bis er „reif" ist für höhere Aufgaben. Das sei beim Rudern genauso wie beim Schwimmen der Fall, in der Leichtathletik wie beim Radfahren. Und: „In Österreich hängen die leistungsorientierten jungen Leute in der Zeit vom 15. Lebensjahr bis etwa zum 20. Lebensjahr in der Luft. Weil erst dann die Sporthilfe greift." Das sei aber „nicht das Problem der Sporthilfe, Toni Schutti leistet da ausgezeichnete Arbeit". Und die ersten Projekte wie das Mentoring und der Jugendsportpreis (ab Seite 214) sollten ja bald greifen. In der Vergangenheit passierte halt zu wenig.

**Problem Schulsport.** Um dieses Problem kommt man nicht umhin. Stephanie Graf war eine fleißige Schulsportlerin. „Zu meiner Zeit gab es eine Menge von Freigegenständen. Da wurde jetzt leider sehr, sehr viel gestrichen." Stephanie besuchte nämlich gleich mehrere Neigungsgruppen: Volleyball, Basketball, Schilaufen, Eislaufen – und natürlich Leichtathletik. Zudem unternahmen die befreundeten Familien Graf und Lichtenegger mit Tochter Stephanie und Sohn Elmar am Wochenende statt Heurigen- oder Frühschoppenbesuchen natürlich sportive Aus-

## TIPPS FÜR HOBBYSPORTLER

Stephanie Graf hat natürlich auch eine Reihe von Tipps für Hobbyläufer(innen) parat:

**Tempofrage:** „Habt bitte keine Hemmungen. Es ist kein Problem, wenn man auf der Prater Hauptallee oder auf einer anderen Laufmeile von anderen Leuten überholt wird. Immer auf das eigene Tempo achten."

**Einsam oder gemeinsam?** „Ich würde mir Leute aus dem Bekanntenkreis suchen, die genauso schnell – oder langsamer – laufen wie ich selbst. Da kann man dann unterwegs plaudern. Da erledigt man dann seine Sozialkontakte in einem Aufwaschen mit gesunder Bewegung."

**Plaudertempo:** „Wenn man gemeinsam läuft – wohlgemerkt: das Lauftempo muss zusammenpassen –, kontrolliert man mit diesem berühmten Plaudertempo gleich den Puls." Besonders nach einer längeren Phase ohne Bewegung sollte man auch Mut zu Pausen haben: „Kommt man einmal außer Atem, ist es kein Problem, wenn man stehen bleibt und eine Zeit lang geht. Das mache ich auch des Öfteren so. Wichtiger ist, dass man die Zeit, die man sich vorgenommen hat, auch wirklich unterwegs ist."

**Stephanies Pensum:** „Wenn ich nicht jeden Tag eine Stunde zum Laufen komme, werde ich fürchterlich unrund. Zweimal gehe ich wöchentlich ins Fitness-Center. Und einmal muss ich auch wettkampfmäßig trainieren, sonst kommt mein Hormonhaushalt durcheinander. Das ist eine medizinische Sache."

**Elternhäuser** flüge. Ergo: Die Schule allein ist's auch nicht, welche die heißen Kartoffeln aus dem Feuer holt. Aber das ist beim Aufwachsen generell ja auch nicht anders. Ein Gutteil der Arbeit wird immer dem Elternhaus zufallen.

**Nationalstolz.** Die Befriedigung unseres Nationalstolzes bleibt also sehr temperaturabhängig: Im Winter regnet's Weltcupsiege und Goldmedaillen, im Sommer herrscht meist Trockenheit. Wenn man auf die Medaillenkandidaten für Athen blickt, keimt ein Verdacht auf: Das sind großteils Einzelkämpfer. Mirna Jukic hat Vater Zeljko als „Entdecker" und Trainer, Roman Hagara ist sowieso schon seit Jahrzehnten dabei, und auch hier war es der Vater, der den Weg zur Weltspitze ebnete. Werner Schlagers Geschichte ist hinlänglich bekannt, und auch Gerrit Glomser ist ein Einzelkämpfer. Einerseits setzte er sich schon früh nach Italien ab – als er bei der U-23-WM Bronze holte, suchte er um Sporthilfe-Unterstützung an. Damals erhielt er eine Absage – trotzdem war Gerrit bereit, bei diesem Buch mitzumachen. Und er plant ja auch eine eigene Jugendinitiative für den Radnachwuchs – weil ihm zu wenig geschieht in Österreich. Dass der Kurs in Athen ihm auf den Leib geschneidert ist, kann man nur in holländischen, italienischen und spanischen Zeitungen lesen. Dort hat man ihn auf der Medaillenrechnung. Und Franz Stocher hat sogar einen eigenen Radstall gegründet, um sich in Ruhe auf Athen vorbereiten zu können.

**Stephanie Graf als „Privatperson" – immer sportiv unterwegs. Oben mit Freund Niki Zitny bei der Sporthilfegala in Salzburg, unten auf Schiern am Zielhang der Planai – die sie mit Bravour meisterte.**

**Erfolgsfaktor Schulsport.** Wie wichtig Schulsport für eine Profikarriere sein kann – auch dafür gibt es eine Reihe von Beispielen: Die Weltmeister Alois Stadlober und Markus Gandler „entschlüpften" der Aktion „Langlauf in Schulen" – das war Mitte der 70er Jahre. Stephanie Grafs „Schulerlebnisse" haben wir schon geschildert. Claudia Heill fand ebenfalls in der Schule zum Judo. Weil sie zufäl-

lig den jetzigen Nationaltrainer als Lehrer hatte. Fußball-Jungstar und Teamkapitän Andi Ivanschitz besuchte ein Gymnasium, das ihm ein tägliches Vereinstraining bei Rapid ermöglichte – durch eine „Streckung" der Matura auf fünf Jahre. Nur *eine* solche Schule ist aber viel zu wenig.

**Bedarf.** „Es ist also noch viel zu tun" – genau so umreißt Stephanie Graf ihre berufliche Zukunft. An der bastelte sie zu Redaktionsschluss gerade eifrig. Sie konnte aber noch nicht viel Konkretes erzählen. Fix war, dass sie in Athen dabei sein wird. Gleich in doppelter Funktion: „Aber das wird erst im Juni bekannt gegeben."

**Mädchen.** Eines der Aufgabengebiete könnten die Mädchen sein. „Die haben im Moment nämlich gar nichts. Die Buben haben wenigstens die Fußballvereine." Über das Niveau der Ausbildung in vielen dieser Vereine kann man wahrscheinlich streiten oder muss gar bestürzt sein – aber wenigstens bewegt sich dort die Jugend.

**Die Ehrungen nehmen auch nach der Karriere kein Ende. Bei den Österreichischen Leichtathletik-Meisterschaften wurde sie gemeinsam mit Martin Pröll als beliebteste Leichtathletin Österreichs 2003 geehrt.**

## IDEEN FÜR ÖSTERREICH

Ein paar Ideen gibt es schon. „Es muss gelingen, die Erfahrungen der erfolgreichen Sommersportler zu kanalisieren." Nicht nur der Sommersportler, auch Alois Stadlober könnte neben anderen einbezogen werden, wie Werner Schlager und Stephanie Graf sowieso („hätte ich damals mehr Beratung gehabt, hätte ich wahrscheinlich viele Fehler nicht gemacht"). Und Vorbilder braucht die Nation sowieso. Im „Falle Graf" war es Theresia Kiesl, die den letzten Ausschlag gab, sich bis zur Weltspitze vorzuquälen, bei Lisi Schrenk war es Alois Stadlober, ohne dass der jemals was gewusst hat davon. Und für den Golfer Martin Wiegele war Thomas Muster, dessen Eltern mit Martins Eltern immer schon befreundet waren, das große Vorbild. Es geht also auch crossover.

**Polysportibel.** Denn die Arbeit mit Kindern ist ganz nebenbei auch noch eine sehr heikle. Auf den nächsten Seiten schildert Roland Werthner, wie es sein sollte: viele verschiedene Sportarten „probieren", spät spezialisieren.
**EU-Jahr des Sports.** Es klingt ja fast wie Hohn: Während in Österreich die Bewegungsstunden in der Schule gekürzt werden, hat die EU-Kommission 2004 zum „Jahr der Erziehung durch Sport" erklärt. „Move your body, stretch your mind" ist der hehre Titel der Aktion.
**Nochmals Schulsport.** Gerade im Sport zeigt sich das Individuum Mensch. 30 Kinder hat eine Klasse, ein einziger „Turnlehrer" (warum nennt man das Fach nicht „Mindstretching"?) ist für die ganze Schar zuständig. Nun gibt es aber nicht nur aktive Turnlehrer, sondern auch eine ganze Menge mäßig aktiver. Und nicht selten läuft eine „Turnstunde" so ab: Wenn die Kinder brav sind, dürfen sie Fußball oder Volleyball spielen, sind sie schlimm, gibt es zur Strafe einen „Waldlauf". Kein Wunder, dass Österreich kaum Läufer hervorbringt. Auch unseren schnellsten Marathonläufer, Michael Buchleitner, ärgert es heute noch, dass er keine multisportible Ausbildung genossen hat.
**Teufelskreis.** Die Sachlage ist also verzwickt und verzwackt, der Teufel steckt wie so oft im Detail. Wie das alles auf die Reihe zu kriegen ist, weiß Stephanie Graf in der kurzen Zeit ihrer Tätigkeit natürlich auch noch nicht. Weil ja noch nicht einmal eine Funktion, ein Job gefunden wurde. Die Zeit war einfach noch zu kurz. Aus dem erhofften Urlaub nach der Karriere ist so auch noch nichts geworden. „Das habe ich total unterschätzt, was da alles zu tun und zu bedenken und zu organisieren ist." Aber sie will auf alle Fälle weiterkämpfen. So wie sie das in der aktiven Zeit auch tat. „Die Wettkampfhärte war mein großes Plus." Fein, dass sich unser Aushängeschild entschlossen hat, für die Jugend zu kämpfen!

# Gebt den Kindern Äktschn!

**Wer seine Kinder zu sportlichen Menschen „erziehen" will, sollte ihnen nicht allzu viel vormachen.**

Es steht also schlecht um unsere Jugend. Steht in den Medien. Vor allem um die sportlich interessierte Jugend scheint es schlecht bestellt. Weil sie sich nicht für Sport interessiert. Oder vielleicht doch? Wird sie vielleicht nur schlecht betreut? Fachlich nicht fundiert? Oder gehen gar die Bedürfnisse der Öffentlichkeit in eine völlig falsche Richtung?

**Nachfragen.** Um all diese Fragen beantworten zu können, muss man mal nachfragen. In erster Linie bei den „Kids", wie wir unsere Nachkommen mehr oder weniger liebevoll und cool rufen. Wollen die sich überhaupt bewegen? Roland Werthner, einst Zehnkämpfer, jetzt Sportwissenschaftler am Institut für Sportwissenschaften auf der Schmelz, hat eine eindeutige Diagnose parat: „Sie bewegen sich gerne, sie bewegen sich eigenmotiviert, sie kennen ihre Grenzen, sie bevorzugen intervallmäßige Belastungen und sie bestimmen ihre Pausen eigenständig." Na, liebe Eltern, was wollt ihr mehr? Nicht nur Eltern – Minister aller Sparten, ob Unterricht, Sport

Auch mit dem Golfen kann man nicht früh genug beginnen.

oder sonst was: „Warum reden wir da so viel drein?" Warum müssen alle ab dem sechsten Lebensalter stillsitzen? Warum gibt's so wenig Bewegung in der Schule?

**Leistungssport.** In diesem Buch geht es ja nicht nur um Leistungssport, auch um Freizeitsport. Und die meisten Leser werden zumindest ein bewegungsfreudiges Kind zu Hause haben. Wenn sie es nicht schon „stillgesetzt" haben. Was also sollen wir tun – und was lieber bleiben lassen? Werthner: „Man soll Kinder das tun lassen, was sie wollen." Und nicht zu lehrmeisterhaft sein. Beispiel Laufen: Kein Erwachsener kann mit dem Laufstil eines fünfjährigen Kindes, das genug Auslauf hat, mithalten. Werthner erklärt das wissenschaftlich: „Die für eine Lauftechnikentwicklung notwendigen Reizsetzungen brauchen wir die Kinder nicht zu lehren – ganz im Gegenteil: Die so genannte Trainingslehre müsste davon lernen." Und man braucht nur auf einen Spielplatz gehen, da sieht man's: Da sind tatsächlich lauter Radcliffs unterwegs (Paula Radcliff hält den Frauenweltrekord im Marathon und hat einen besonders schönen Laufstil).

**Variation.** Das Laufen war ja nur ein Beispiel. Selbiges ist auch beim Carven zu beobachten: Je Jünger die Teilnehmer bei einem Dorfschirennen, umso schöner wird gecarvt. Aber nicht nur die Technik spielt eine Rolle. Kinder sind auch bei der so wichtigen „Variation der Trainingsreize" um einiges intelligenter als wir Erwachsene. Werthner: „Kleinkinder sind da perfekt, Jugendliche sehr gut, Erwachsene machen die meisten Fehler." Wir verblöden sozusagen, was die Trainingsreize angeht.

**Spezialisierung.** Also gut. Einigen wir uns darauf, dass wir unsere Kinder am besten allein sporteln lassen, ihnen keine technischen Tipps geben (außer, sie fragen ausdrücklich). Aber wie ist das mit der Spezialisierung? Roland Werthner setzt auf eine möglichst späte Spezialisierung.

**Wettbewerbsdruck.** In der Profiszene schaut das anders aus. Mirna Jukic ist mit ihren 17 Jahren bereits Weltklasse, und sie ist beileibe nicht zu früh dran. Wer mit 18 noch nicht Weltklasse ist, schafft's meist nie mehr. Andererseits: Die Williams Sisters (Tennis) sind mit ihrem Bewegungsapparat schon ziemlich am Ende. Aber: Werner Schlager spielt auch schon etliche Jährchen und schlägt die Chinesen immer noch. Fazit: Man kann nicht verallgemeinern. Manfred Zeillinger ist der Leistungsdiagnostiker (nicht nur) von Christian Hoffmann. Er versteht sein Fach wie kaum ein anderer und geht mit Roland Werthner völlig konform, dass Kinder viel besser auf ihren Körper hören: „Die machen halt eine Pause, wenn sie müde sind." Wir Erwachsene ziehen eine Trainingseinheit gnadenlos durch. Auch als Hobbysportler.

**Methodik.** Dass man allzu lange mit einer Spezialisierung zuwarten sollte, glaubt Zeillinger allerdings nicht. „Wer mit Kindern arbeitet, muss natürlich sehr viel spielerische Elemente einbauen. Und wenn sie rasten wollen, soll man sie rasten lassen." Will man ein Weltklasselangläufer sein, muss man allerdings entsprechend früh anfangen. Weil ja die technischen Fertigkeiten in der Jugend am schnellsten und besten erlernt werden. Den Unterschied kann aber die Methodik ausmachen. Zeillinger: „Eine Langlaufstunde in der Schule schaut leider so aus: Der Lehrer rennt voraus, eine Meute von 30 Kids hinterher. Das ist natürlich ein Wahnsinn. Die bräuchten mehr Äktschn." Das ist aber sehr aufwändig. Zeillinger: „In St. Egyd hatten wir mal einen Erlebnisparcours gebaut. Da wurde unter anderem mit Schiern Fußball gespielt." Und vieles mehr natürlich – beim Bergauflaufen wurde Fangen gespielt. Den Parcours gibt's aber längst nicht mehr. Keine Betreuer, kein Geld zur Erhaltung. Dadurch leider auch keinen Langlaufnachwuchs mehr in Österreich.

## MULTISPORTIBEL

Über den Zeitpunkt der Spezialisierung könnte man noch lange diskutieren und auch, wie intensiv diese betrieben wird. Dass Kinder allerdings viele Sportarten „probieren" sollen, steht außer Zweifel. Roland Werthner hat einen „Marschplan" parat:

- Vorschulalter: In dieser Zeit brauchen sie viel Auslauf. Ideal ist ein Aufwachsen am Land, Städter sollten mit ihren Kids viel ins Grüne fahren und sie herumtollen lassen.
- Bis 11 Jahre: Möglichst viele Sportarten probieren. Das schlimmste Argument: „Jetzt hab ich dir den Kurs bezahlt, jetzt bleibst auch dabei"! Dabei wäre gerade ein häufigeres Wechseln gesund.
- Bis 15 Jahre: Jetzt kann man sich auf „Lieblingssportarten" konzentrieren, es sollten aber immer noch drei Stück sein.
- Bis 18 Jahre: Technik sollte immer noch im Vordergrund stehen, je nach Sportart müssen natürlich Ausdauer und Kraft verbessert werden.

# Wenn beide Partner gewinnen

Hans Lukits, BEWAG, fördert Tanja Trittner (o.) und Julia Dujmovits (rechts o.).

Im Geschäftsleben spricht man gern von „win-win"-Situationen. Der wirtschaftliche Laie mag zwar immer noch das Bild von „Halsabschneidern" am Basar von Bagdad im Kopf haben (dass eben der eine den anderen über den Tisch zieht, um einen wirtschaftlichen Vorteil zu ergattern), die Realität ist gottlob längst eine andere. Ein gutes Geschäft ist längerfristig ein solches, wo beide Geschäftspartner einen Gewinn für sich lukrieren können. Das geht auch im Sportsponsoring.

**Mentor.** Wie funktioniert nun das Sport-Mentoring? Mentor war in der griechischen Mythologie der Erzieher des Telemach (Sohn des Odysseus). Heute versteht man unter einem Mentor weniger einen „Erzieher" als einen Förderer, einen Paten. Und genau so ist das Projekt gedacht. Persönlichkeiten aus dem öffentlichen Leben und aus der Wirtschaft fördern ein Sporttalent. Und weil schon angesprochen wurde, dass es ja eine „win-win"-Situation geben soll, sorgt die Sporthilfe für die Koordination und für den medialen Output. Im Gegensatz zum Sportsponsoring ist Sport-Mentoring ein reines Förderprogramm.

**Schirmherr.** Wirtschaftskammerpräsident Christoph Leitl entschied sich, nicht einen einzelnen Sportler zu fördern, sondern das Projekt an sich – und erklärt dieses Engagement so: „Dieses Projekt fasziniert mich unter anderem durch den Umstand, dass die Unternehmen oftmals auch direkten Kontakt mit den unterstützten Sportlern pflegen. Insgesamt ist es ein wichtiger, völlig neuer Schritt für den Nachwuchssport in Österreich."

**Verwendung.** Die Unterstützungsgelder sind gedacht zur Finanzierung von Trainingslagern, zur medizinischen Vorsorge und zur Abdeckung von Fahrtkosten zu Wettbewerben. Nominiert werden die infrage kommenden Athletinnen und Athleten von den Fach- und Dachverbänden sowie den Landessportverbänden (ein altbewährtes

**Die Wirtschaftskammer Österreich (im Bild Präsident Christoph Leitl) übernahm die Patronanz.**

## DIE MENTOREN

- Dr. Christoph Leitl: Die Wirtschaftskammer Österreich fördert das Projekt an sich.
- Dr. Leo Wallner fördert Gerald Wambacher (Sprunglauf).
- Mag. Harald Sükar, „Der Mann", fördert Clemens Selzer (Radsport).
- Mag. A. Türesin, IPM – Nina Dittrich (Schwimmen).
- Dr. Leodegar Pruschak, Raiffeisen, fördert Johannes Hühnel (Fechten).
- Beate Schaschnig, ASKÖ, fördert Sonja Anderl (Karate).
- Wolfgang Schuckert, SAP, – Florian Prägant (Golf).
- Hans Lukits, BEWAG – Tanja Trittner (Laufen) und Julia Dujmovits (Snowboard).

**IPM-Chef Mag. Türesin mit Nina Dittrich**

**Beate Schaschnig, ASKÖ und Dr. Leodegar Pruschak**

Lauftalent Lisa Maria Leutner wird von Staatssekretär Karl Schweitzer gefördert.

Vorgehen, das auch für die Förderung der österreichischen Spitzenathleten angewendet wird).

**Gute Beispiele.** Mit gutem Beispiel voran gehen Persönlichkeiten und Unternehmen, die im Kasten unten aufgelistet sind. Interessierte Unternehmen wenden sich ganz einfach an die Österreichische Sporthilfe (Ansprechpartner ist Frau Birgit Rossbacher, Tel.: 01/799 40 80-82907, E-Mail: office@sporthilfe.at). Auch Werner Schlager ist begeistert: „Sport-Mentoring ist eine geniale Idee und verbessert die Situation vieler Nachwuchsleute ganz eindeutig." Raiffeisen-Werbechef Leodegar Pruschak hat natürlich auch rasch zugegriffen – der Werbeprofi hat mit Hermann Maier, Niki Lauda und Thomas Muster ja schon legendäre Sponsoringprojekte eingefahren. Mal sehen, ob der Florettfechter Johannes Hühnel gleichermaßen einschlägt. Eine interessante Kandidatin hat sich auch Sportstaatssekretär und Hobbyläufer Karl Schweitzer „geangelt": Lisa Maria Leutner ist Österreichs größte Laufhoffnung, gehört in Europa in ihrer Altersgruppe zu den absoluten Top-Leuten. Infos zu dem Projekt gibt es auf www.sporthilfe.at.

SAP und Wolfgang Schuckert betreuen den Junggolfer Florian Prägant.

# Die Sieger von morgen

**Das waren die Sportler des Jahres 2003. Wer wird Jugendsportler 2004?**

Jedes Jahr werden im Rahmen der „Galanacht des Sports" in Salzburg die Sportlerin des Jahres und der Sportler des Jahres gewählt. Voraussetzung dafür ist natürlich eine herausragende Leistung. Im Jahr 2003 konnten Werner Schlager und Michaela Dorfmeister diese Auszeichnung entgegennehmen, im Teambewerb siegte Felix Gottwald mit seinen nordischen Kombinierern.

**Jugend.** 2004 wird es erstmals „Nachwuchssportler des Jahres" geben. Im Rahmen einer festlichen Veranstaltung werden im November die Preise in Wien überreicht. Teilnahmeberechtigt sind junge SportlerInnen bis zum 18. Lebensjahr, welche in olympischen Einzeldisziplinen herausragende Leistungen vollbringen.

**Hauptsponsor.** Insgesamt 16.000 Euro schüttet Sponsor Terragas aus, um die „Sieger von morgen" zu küren. Die größten Chancen haben NachwuchsathletInnen, welche bei Weltmeisterschaften, Europameisterschaften oder nationalen Meisterschaften Medaillen erringen. Eine Evaluierungskommission (Landesverbände, Fach- und Dachverbände) trifft eine Vorentscheidung, welche einer prominenten Jury als Entscheidungsgrundlage dient. Diese kürt dann die beiden besten Nachwuchssportlerinnen und Nachwuchssportler Österreichs.

TERRAGAS JUGEND SPORT PREIS 2004

terragas

sport hilfe

## TEILNAHME

- Erforderlich ist die Mitgliedschaft bei einem Dach- oder Fachverband (über Verein).
- Der Bewerbungsbogen kann auch direkt im Internet ausgefüllt werden (www.sporthilfe.at).

# Informationsverwirrung

In dieses Buch sind viele Expertenmeinungen eingeflossen. Die sollten hier kurz gewürdigt werden. Davor noch zum Hergang: Ich befasse mich seit einigen Jahren aufgrund meiner schreiberischen Tätigkeit für verschiedene Magazine mit dem Thema „Hobbysport". Ich hatte die Gelegenheit, mit vielen Trainern, Sportwissenschaftlern, Trainingswissenschaftlern und natürlich auch mit vielen Leistungs- und Hobbysportlern über das Thema „Training" zu philosophieren und zu diskutieren. Sehr oft habe ich ehrfürchtig zugehört. Aber immer auch das Gehörte hinterfragt. Und es war oft zum Verzweifeln. Kaum hatte ich geglaubt, den Stein der Weisen entdeckt zu haben, kam ein neuer Experte daher und erzählte beinahe das Gegenteil von dem, was ich gerade als „wahr" abgespeichert hatte. Aber wenn man Sir Karl Popper glaubt, dann sind das äußerst lehrreiche Erfahrungen – und es gibt ja noch das Prinzip Versuch und Irrtum.

**Laktat.** Auch hier gehen die Meinungen auseinander. Ich will hier gar nicht verraten, wer welche Meinung vertritt. Das würde nur Verwirrung stiften. Tatsache ist, dass die aerobe Schwelle und die anaerobe Schwelle nicht immer bei 2 und 4 mmol liegen müssen, wie meist geschrieben wird. Das tun sie sogar nur in den seltensten Fällen. Bei der Triathletin Kate Allen liegt die anaerobe Schwelle bei 1,5 mmol. Der Mensch ist eben ein Individuum. Egal, ob

**Mag. Manuel Golda, Sportwissenschaftler, Leistungsdiagnostiker, Personal Coach, Graz. www.golda.at**

Hobby- oder Leistungssportler. Bei manchen Sportlern in diesem Buch sind die Schwellen aber trotzdem mit 2 und 4 mmol angegeben. Weil sie so ermittelt wurden. Sie sind also mit Vorsicht zu genießen.

**Schulen.** In der Musik und in der Kunst gibt es verschiedene „Schulen". Die Wiener Schule und so weiter. Auch im Sport, respektive in der Sportwissenschaft, gibt es solche „Schulen". Wer in Köln studiert und werkt, hat eine bestimmte Auffassung. Wer selbiges in Leipzig erledigte, ebenfalls. Und dann gibt es welche, die sich von solchen Schulen nicht beeinflussen lassen.

**Namentlich.** Ich habe also in das Buch das Know-how mehrerer versierter Sportler und Sportwissenschaftler einfließen lassen. Wäre ja schade, wenn nur eine Meinung zu Wort kommt. Hier noch eine kurze, namentliche Auflistung: Mit Alois Stadlober und Dagmar Rabensteiner hatte ich die Ehre, im Rahmen meiner journalistischen Tätigkeit in den letzten Jahren mehrmals ausführliche Hintergrundgespräche zu führen, es hat mich ganz besonders gefreut, dass die beiden in diesem Buch vorkommen. Dr. Bernd Pansold hier extra vorzustellen wäre überflüssig. Ziemlich jeder Athlet, den er betreute, konnte seine Leistungsfähigkeit markant verbessern. Manfred Zeillinger ist einer, den man weniger kennt. Er hält sich gern im Hingergrund. Er war unter anderem dafür verantwortlich, dass das Langlaufwunder in der Ramsau 1999 Realität wurde. Sein Wissen wäre eigentlich ein eigenes Buch wert. Und Mag. Manuel Golda begleitete mich durch meine Grazer Zeit. Er betreut unter anderem die Schwimmerin Judith Draxler, aber auch viele Hobbysportler kommen zu ihm, um ihre individuellen Schwellen feststellen zu lassen. Um dann viel besser zu laufen, zu biken und was auch immer. Gemeinsam haben wir im Magazin „TOP TIMES" Tipps und Tricks für Hobbysportler gezimmert.

**Dr. Alois Stadlober**

**Manfred Zeillinger, Leistungsdiagnostiker.**

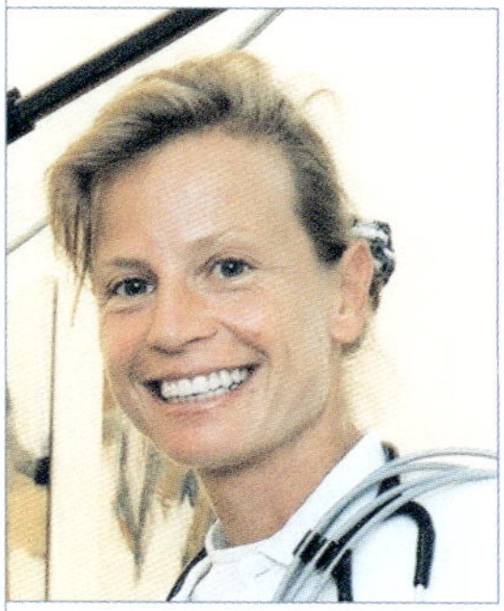

**Dr. Dagmar Rabensteiner, Ärztin, Läuferin.**

# Ein bewegtes Leben

Reinhold Fleischhacker betreibt seit 1. April 2003 (das Datum ist kein Scherz, das lag ganz allein am Bauträger) in Wien eine „Manufaktur für populärwissenschaftliche Texte". Sein „Arbeitstitel" lautet daher folgerichtig auch „Textfabrikant".

**Jugend.** Ende der 50er Jahre erblickte er das Licht der obersteirischen Bergwelt. Fünf Jahre Bergbauer, zehn Jahre Talbauer, dann Studium der Musik. Tätigkeit an einer Oberkärntner „Musikhochschule" (am Fuße des Großglockners) und kammermusikalische Tourneen, unter anderem durch Russland, standen an. Als ihm Mitte der 90er Jahre die Musiziererei und die Unterrichterei langweilig werden, keine intellektuelle Herausforderung mehr bieten, zieht er kurzerhand nach Graz, um sich dort der Schreiberei zu widmen. Ursprünglich dem Internet verhaftet, kam eines Tages der Sport ins Spiel: Mehr oder weniger irrtümlich hatte ihn ein Arbeitskollege (in der Styria Medien AG) zum Graz-Marathon angemeldet. Eh nur zum Staffelmarathon. Das war der Start in ein etwas bewegteres Leben.

**Neue Zielgruppe.** Also wurde fortan über Fitness geschrieben. Der Hobbysportler avancierte zur so genannten „Zielgruppe". Das ging eine Weile so, bis sich – wieder rein zufällig, abermals fast irrtümlich – im Frühjahr 2003 die Übersiedlung nach Wien ergab. Und im Herbst desselben Jahres ein neues Projekt: das vorliegende.

**Lerneffekt.** Das Training der Profisportler auf den Nutzen für den Hobbysportler zu untersuchen, war eine faszinierende Aufgabe. „Die ist aber nicht leicht" – mit diesen Worten verabschiedete sich Dr. Bernd Pansold vom Gespräch am Wiener Naschmarkt. Fazit: „Bleibt zu hoffen, dass der Leser genauso viel von Hoffi, Glomsi & Co lernt, wie ich das konnte", zieht der Textfabrikant Resümee. Leserbriefe bitte elektronisch an „textfabrik@aon.at".

**Gelegentliche Marathons dienen der Feldforschung. Bestzeit: 3:17. Handicap: 30 Zigaretten täglich.**